Este libro es un obsequio de

____

para

____

El camino
a
Cristo

El camino a Cristo

Ellen G. White

Esta edición de El camino a Cristo
es una coproducción de

Asociación Publicadora Interamericana
2905 NW 87th Ave. Doral, Florida 33172, EE.UU.
tel. 305 599 0037 • fax 305 592 8999
mail@iadpa.org • www.iadpa.org

GEMA EDITORES
Agencia de Publicaciones México Central, A.C.
Uxmal 431, Col. Narvarte, Del. Benito Juárez, México, D.F. 03020
tel. (55) 5687 2100 fax (55) 5543 9446
ventas@gemaeditores.com.mx - www.gemaeditores.com.mx

Diseño de la portada Ideyo Alomía
Diseño de interiores José Dolorier

ISBN 1-57554-456-3

Impreso por

Stilo Impresores Ltda., Bogotá, Colombia

Impreso en Colombia / Printed in Colombia

Edición revisada por APIA: impresión, junio 2013

En esta edición de El camino a Cristo se ha usado la Nueva Versión Internacional de la Biblia (NVI) © Sociedad Bíblica Internacional, salvo en los casos indicados

Prefacio

Entre las preguntas más importantes que el ser humano se ha formulado, y debe formularse, se destaca la que hizo el carcelero de Filipos a Pablo y Silas: "Seño - res, ¿qué tengo que hacer para ser salvo?"[1]

Encontrar la respuesta correcta a esta pregunta es de vital importancia, pero un tanto difícil. La discusión en torno a la naturaleza y al significado de la salvación resulta interminable. Los intentos por definir y distinguir la parte humana y la parte divina, dentro de la dinámica de la salvación, es en la actualidad motivo de agrios debates. Tratar de captar el contenido de términos como 'santificación', 'justificación', 'expiación' y 're - dención', desanima a cualquiera en su deseo de comprender qué es la salvación y qué se tiene que hacer para alcanzarla.

Sin embargo, Ellen G. White en su libro EL CAMINO A CRISTO *describe de forma magistral y sencilla el significado y la dinámica de la salvación. En las páginas de esta obra Cristo y la salvación llegarán a ser para el lector mucho más que una idea teológica, mucho más que un tema de debate. Jesús llegará a ser el Salvador y el Señor que necesitamos para vivir con gozo la certeza de nuestra salvación.*

Hoy se tiende más a buscar la realidad que la verdad, más la vida que el pensamiento, más la existencia plena que las grandes ideas. Por eso la humanidad necesita El camino a Cristo. *Este libro, a toda persona que lo lea, le resultará verdaderamente relevante. Cada uno de sus capítulos ilumina la mente, toca el corazón y mueve la voluntad, al mostrarnos el inmenso amor de Dios, y animarnos a la confesión, la consagración y el arrepentimiento. En este pequeño gran libro se destacan asimismo las maravillas de la fe, nos son desvelados los secretos del crecimiento espiritual, se nos señalan los beneficios de la oración, y somos motivados a servir al prójimo desinteresadamente.*

Con la intención de hacer más claro su mensaje y agilizar su lectura, en esta edición para las citas bíblicas se ha usado la Nueva Versión Internacional. *También se ha actualizado el vocabulario y se ha mejorado, donde era necesario, la traducción.*

Sin lugar a dudas El camino a Cristo, *publicado por primera vez en 1892, traducido a más de 150 idiomas y con más de 100 millones de ejemplares en circulación, ha llegado a ser un clásico de la literatura cristiana.*

Los Editores

---

1. Hechos 16:30

Contenido

Capítulo 1

Amor supremo

Tanto la naturaleza como la revelación dan testimonio del amor de Dios. Nuestro Padre celestial es la fuente de vida, sabiduría y gozo. Observa las maravillas y bellezas de la naturaleza. Piensa en su prodigiosa adaptación a las necesidades y a la felicidad, no solamente de cada ser humano, sino de todos los seres vivientes. La luz del sol y la lluvia que alegran y refrescan la tierra; los montes, los mares y las praderas, todos nos hablan del amor del Creador. Dios es el que suple las necesidades diarias de todas sus criaturas.

El salmista lo dijo con estas bellas palabras:

"Los ojos de todos
se posan en ti,
y a su tiempo les das su alimento.
Abres la mano y sacias
con tus favores
a todo ser viviente".[1]

Dios hizo al hombre perfectamente santo y feliz. La hermosa tierra no tenía, al salir de la mano del Creador, mancha de decadencia, ni sombra de maldición. Fue la transgresión de la ley de Dios, la ley de amor, la que trajo consigo dolor y muerte. Sin embargo, en medio del sufrimiento, que es el resultado del pecado, se manifiesta el amor de Dios. Está escrito que Dios maldijo la tierra por causa del hombre.[2] Los cardos y espinas, las dificultades y pruebas que colman su vida de trabajos y preocupaciones, le fueron asignados para su bien, como parte de la preparación necesaria, según el plan de Dios, para levantarlo de la ruina y la degradación que el pecado había causado. El mundo, aunque caído, no es todo tristeza y miseria. En la naturaleza misma hay mensajes de esperanza y consuelo. Hay flores en los cardos, y las espinas están cubiertas de rosas.

"Dios es amor" está escrito en cada capullo de flor que se abre, en cada tallo de la naciente hierba. Los hermosos pájaros que llenan el aire de melodías con sus preciosos cantos, las flores exquisitamente matizadas que en su perfección perfuman el ambiente, los grandes árboles del bosque con su rico follaje de viviente verdor; todo ello atestigua el tierno y paternal cuidado de nuestro Dios y su deseo de hacer felices a sus hijos.

La Palabra de Dios revela su carácter. Él mismo declaró su infinito amor y piedad. Cuando Moisés dijo a Dios: "Déjame verte en todo tu esplendor", el Señor respondió: "Voy a darte pruebas de mi bondad, y te daré a conocer mi nombre".[3] Esa es su gloria. El Señor pasó delante de Moisés y clamó: "El Señor, el Señor, Dios clemente y compasivo, lento para la ira y grande en amor y fidelidad, que mantiene su amor hasta mil generaciones después, y que perdona la iniquidad, la rebelión y el pecado".[4] Él es "lento para la ira y lleno de amor",[5] porque su "mayor placer es amar".[6]

Dios atrae nuestros corazones mediante innumerables pruebas de amor en el cielo y en la tierra. Procura revelársenos valiéndose de la naturaleza y de los más profundos y tiernos lazos que el corazón humano puede conocer en la tierra. Todo esto no representa más que imperfectamente su amor. Aunque se dieron todas estas pruebas evidentes, el enemigo del bien cegó el entendimiento de los seres humanos, para que miraran a Dios con temor y lo considerasen severo e implacable. Satanás indujo a los seres humanos a concebir a Dios como un ser cuyo principal atributo es una justicia implacable, como juez severo, acreedor duro y exigente. Representó al Creador como un ser que vela con ojo inquisidor para descubrir los errores y las faltas de los seres humanos y hacer caer sus juicios sobre ellos. A fin de disipar esta negra sospecha vino el Señor Jesús a vivir entre nosotros, y manifestó al mundo el amor infinito de Dios.

El Hijo de Dios descendió del cielo para revelar al Padre. "A Dios nadie lo ha visto nunca; el Hijo unigénito, que es Dios y que vive en unión íntima con el Padre, nos lo ha dado a conocer".[7] "Y nadie conoce al Padre sino el Hijo y aquel a quien el Hijo quiera revelarlo".[8] Cuando uno de sus discípulos le dijo: "Muéstranos al Padre", Jesús respondió: "¡Pero, Felipe! ¿Tanto tiempo llevo ya entre ustedes, y todavía no me conoces? El que me ha visto a mí, ha visto al Padre. ¿Cómo puedes decirme: 'Muéstranos al Padre'?"[9]

Jesús dijo, describiendo su misión terrenal: "El Espíritu del Señor [...] me ha ungido para anunciar buenas nuevas a los pobres. Me ha enviado a proclamar libertad a los cautivos y dar vista a los ciegos, a poner en libertad a los oprimidos".[10] Esta era su obra. Anduvo haciendo bien y sanando a todos los oprimidos de Satanás.

Había aldeas enteras donde no se oía un solo gemido de dolor en casa alguna, porque él había pasado por ellas y sanado a todos sus enfermos. Su obra demostraba su unción divina. En cada acto de su vida revelaba amor, misericordia y compasión; su corazón rebosaba de tierna simpatía por todos los seres humanos. Se revistió de la naturaleza humana para poder solidarizarse con ellos en sus necesidades. Los más pobres y humildes no tenían temor de acercársele. Aun los niñitos se sentían atraídos hacia él. Les gustaba sentarse en sus rodillas y contemplar su rostro pensativo, que irradiaba benignidad y amor.

Jesús no suprimía una palabra de la verdad, pero siempre la expresaba con amor. En su trato con la gente hablaba con el mayor tacto, cuidado y misericordiosa atención. Nunca fue rudo ni pronunció innecesariamente una palabra severa, ni ocasionó a un alma sensible una pena innecesaria. No censuraba la debilidad humana. Decía la verdad, pero siempre con cariño. Denunciaba la hipocresía, la incredulidad y la iniquidad; pero las lágrimas velaban su voz cuando profería sus penetrantes reprensiones. Lloró sobre Jerusalén, la ciudad amada, que rehusó recibirlo, a él, que era el Camino, la Verdad y la Vida. Sus habitantes habían rechazado al Salvador, pero él los consideraba con piadosa ternura. Fue la suya una vida de abnegación y preocupación por los demás. Toda alma era valiosa a sus ojos. A la vez que se condujo siempre con dignidad divina, se preocupaba con la más tierna consideración por cada uno de los miembros de la familia de Dios. En todos los hombres y mujeres veía almas caídas a quienes era su misión salvar.

Este fue el carácter que Cristo reveló en su vida. Y este es el carácter de Dios. Del corazón del Padre es de donde manan para todos los seres humanos los ríos de la compasión divina demostrada por Cristo. Jesús, el tierno y piadoso Salvador, era Dios que "se manifestó como hombre".[11]

Jesús vivió, sufrió y murió para redimirnos. Se hizo "Varón de dolores" para que nosotros fuésemos hechos participantes del gozo eterno. Dios permitió que su Hijo amado, lleno de gracia y de verdad, viniera de un mundo de indescriptible gloria a esta tierra corrompida y manchada por el pecado, oscurecida por la sombra de la muerte y la maldición. Permitió que dejase el seno de su amor, la adoración de los ángeles, para sufrir vergüenza, insultos, humillación, odio y muerte. "Sobre él recayó el castigo, precio de nuestra paz, y gracias a sus heridas fuimos sanados".[12] ¡Míralo en el desierto, en el Getsemaní, sobre la cruz! El Hijo inmaculado de Dios tomó sobre sí la carga del pecado. El que había sido uno con Dios sintió en su alma la terrible separación que el pecado crea entre Dios y el hombre. Esto arrancó de sus labios el angustioso clamor: "Dios mío, Dios mío, ¿por qué me has desamparado?"[13] Fue la carga del pecado, el reconocimiento de su terrible enormidad y de la separación que causa entre el alma y Dios, lo que quebrantó el corazón del Hijo de Dios.

Pero este gran sacrificio no fue hecho para suscitar hacia nosotros amor en el corazón del Padre, ni para moverlo a salvarnos. ¡No! ¡No! "Porque tanto amó Dios al mundo, que dio a su Hijo unigénito".[14] Si el Padre nos ama no es a causa de la gran propiciación, sino que él proveyó la propiciación porque nos ama. Cristo fue el medio por el cual el Padre pudo derramar su amor infinito sobre un mundo caído. "En Cristo, Dios estaba reconciliando al mundo consigo mismo".[15]

Dios sufrió con su Hijo. En la agonía del Getsemaní, en la muerte del Calvario, el corazón del Amor infinito pagó el precio de nuestra redención.

Jesús declaró: "Por eso me ama el Padre: porque entrego mi vida para volver a recibirla".[16] Es decir: "De tal manera te amaba mi Padre, que me ama tanto más porque di mi vida para redimirte. Me hice tu sustituto y fianza, y entregué mi vida por ti, asumiendo tus responsabilidades y transgresiones. De ahí que me aprecie aún más mi Padre. Así, mediante mi sacrificio, sin él dejar de ser justo, es quien justifica al que cree en mí".

Si el Padre nos ama no es a causa de la gran propiciación, sino que él proveyó la propiciación porque nos ama.

Nadie sino el Hijo de Dios podía efectuar nuestra redención; porque únicamente él, que estaba en el seno del Padre, podía darlo a conocer. Solo él, que conocía la altura y profundidad del amor de

Dios, podía manifestarlo. Nada que fuera inferior al infinito sacrificio hecho por Cristo en favor nuestro podía expresar el amor del Padre hacia la perdida humanidad.

"Porque tanto amó Dios al mundo, que dio a su Hijo unigénito". Lo dio, no solo para que viviera entre los seres humanos, llevara los pecados de ellos y muriera para expiarlos; sino que lo dio a la raza caída. Cristo tenía que identificarse con los intereses y las necesidades humanas. Él que era uno con Dios se vinculó con los hijos de los hombres mediante lazos que jamás serán quebrantados. Jesús "no se avergüenza de llamarlos hermanos".[17] Es nuestro Sacrificio, nuestro Abogado, nuestro Hermano, que lleva nuestra forma humana delante del trono del Padre, y por las edades eternas será uno con la raza a la cual redimió: es el Hijo del hombre. Y todo esto para que el ser humano fuese levantado de la ruina y degradación del pecado, para que reflejase el amor de Dios y compartiese el gozo de la santidad.

El precio pagado por nuestra redención, el sacrificio infinito que hizo nuestro Padre celestial al entregar a su Hijo para que muriese por nosotros, debiera darnos un concepto elevado de lo que podemos llegar a ser por intermedio de Cristo. Al considerar el inspirado apóstol Juan la "altura", la "profundidad" y la "anchura" del amor del Padre hacia la raza que perecía, se llena de alabanzas y reverencia. No pudiendo encontrar lenguaje adecuado con qué expresar la grandeza y ternura de ese amor, exhorta al mundo a contemplarlo. "¡Fíjense qué gran amor nos ha dado el Padre, que se nos llame hijos de Dios!"[18] ¡Cuán valiosos nos hace esto! Por la transgresión, somos hechos súbditos de Satanás. Por la fe en el sacrificio expiatorio de Cristo, los hijos de Adán podemos llegar a ser hijos e hijas de Dios. Al revestirse de la naturaleza humana, Cristo eleva a la humanidad. Al vincularse con Cristo, los seres humanos caídos son colocados donde pueden llegar a ser verdaderamente dignos del título de "hijos de Dios".

Por la transgresión, los seres humanos son hechos súbditos de Satanás. Por la fe en el sacrificio expiatorio de Cristo, los hijos de Adán pueden llegar a ser hijos e hijas de Dios.

Tal amor es incomparable. ¡Que podamos ser hijos del Rey celestial! ¡Preciosa promesa! ¡Tema digno de la más profunda meditación! ¡Incomparable amor de Dios para un mundo que no lo amaba! Este pensamiento ejerce un poder subyugador que somete el entendimiento a la voluntad de Dios. Cuanto más estudiamos el carácter divino a la luz de la cruz, mejor vemos la misericordia, la ternura y el perdón unidos a la equidad y la justicia, y más claramente discernimos las innumerables pruebas de un amor infinito y de una tierna piedad que sobrepasa la profunda compasión que siente una madre hacia su hijo extraviado.

Referencias

1. Salmo 145:15, 16
2. Génesis 3:17
3. Éxodo 33:18, 19
4. Éxodo 34:6, 7
5. Jonás 4:2
6. Miqueas 7:18
7. S. Juan 1:18
8. S. Mateo 11:27
9. S. Juan 14:8, 9
10. S. Lucas 4:18
11. 1 Timoteo 3:16
12. Isaías 53:5
13. S. Mateo 27:46
14. S. Juan 3:16
15. 2 Corintios 5:19
16. S. Juan 10:17
17. Hebreos 2:11
18. 1 S. Juan 3:1

Nuestra necesidad más urgente

El ser humano estaba dotado originalmente de facultades nobles y de un entendimiento bien equilibrado. Era perfecto y estaba en armonía con Dios. Sus pensamientos eran puros, sus propósitos santos. Pero, por la desobediencia, sus facultades se pervirtieron y el egoísmo reemplazó al amor. Su naturaleza quedó tan debilitada por la transgresión que ya no pudo, por su propia fuerza, resistir el poder del mal. Satanás lo convirtió en su esclavo, y hubiera permanecido así para siempre si Dios no hubiese intervenido de una manera especial. El tentador quería desbaratar el propósito que Dios había tenido cuando creó al hombre. Así llenaría la tierra de sufrimiento y desolación, y luego señalaría todo ese mal como resultado de la obra de Dios al crear al hombre y a la mujer.

En su estado de inocencia, la mujer y el hombre gozaban de completa comunión con Aquel "en quien están escondidos todos los tesoros de la sabiduría y del conocimiento".[1] Pero después de su caída no pudieron encontrar gozo en la santidad e intentaron ocultarse de la presencia de Dios. Esa es todavía la condición del corazón que no ha sido regenerado. No está en armonía con Dios ni encuentra gozo en la comunión con él. El pecador no podría ser feliz en la presencia de Dios; le desagradaría la compañía de los seres santos. Y si pudiera ser admitido en el cielo, no se sentiría feliz allí. El espíritu de amor abnegado que reina allí, donde todo corazón corresponde al Corazón del amor infinito, no haría vibrar en su alma cuerda alguna de simpatía. Sus pensamientos, sus intereses y móviles serían distintos de los que mueven a los moradores celestiales. Sería una nota discordante en la melodía del cielo. Este sería para él un lugar de tortura. Ansiaría esconderse de la presencia de Aquel que es su luz y el centro de su gozo. No es un decreto arbitrario de parte de Dios el que excluye del cielo a los impenitentes. Ellos mismos se han cerrado las puertas por su propia ineptitud para la fraternidad que allí reina. La gloria de Dios sería para ellos fuego consumidor. Desearían ser destruidos a fin de ocultarse del rostro de Aquel que murió para salvarlos.

Es imposible que escapemos por nosotros mismos del abismo de pecado en el que estamos hundidos. Nuestro corazón es malo, y no lo podemos cambiar. "¿Quién de la inmundicia puede sacar pureza? ¡No hay nadie que pueda hacerlo!"[2] "La mentalidad pecaminosa es enemiga de Dios, pues no se somete a la ley de Dios, ni es capaz de hacerlo".[3] La educación, la cultura, la fuerza de voluntad, el esfuerzo humano, tienen su lugar, pero no tienen poder para salvarnos. Pueden producir una corrección externa de la conducta, pero no pueden cambiar el corazón; no pueden purificar las fuentes de la vida. Es necesario que haya un poder que obre desde el interior, una vida

Es imposible que escapemos por nosotros mismos del abismo de pecado en el que estamos hundidos.

nueva de lo alto, antes que el ser humano pueda convertirse del pecado a la santidad. Ese poder es Cristo. Únicamente su gracia puede vivificar las adormecidas facultades del alma y atraerla a Dios, a la santidad.

El Salvador dijo: "Quien no nazca de nuevo —es decir, si no recibe un corazón nuevo, nuevos deseos, designios y móviles que lo guíen a una nueva vida— no puede ver el reino de Dios".[4] La idea de que lo único necesario es que se desarrolle la bondad que poseemos por naturaleza, es un engaño fatal. "El que no tiene el Espíritu no acepta lo que procede del Espíritu de Dios, pues para él es locura. No puede entenderlo, porque hay que discernirlo espiritualmente".[5] "No te sorprendas de que te haya dicho: 'Tienen que nacer de nuevo'".[6] De Cristo está escrito: "En él estaba la vida, y la vida era la luz de la humanidad",[7] el único "nombre dado a los hombres mediante el cual podamos ser salvos".[8]

No basta comprender la amante bondad de Dios ni percibir la benevolencia y ternura paternal de su carácter. No basta discernir la sabiduría y justicia de su ley, ver que está fundada sobre el eterno principio del amor. El apóstol Pablo veía todo esto cuando exclamó: "Estoy de acuerdo en que la ley es buena", en que "la ley es santa, y que el mandamiento es santo, justo y bueno"; pero, en la amargura de su alma agonizante y desesperada, añadió: "Pero yo soy meramente humano, y estoy vendido como esclavo al pecado".[9] Ansiaba la pureza, la justicia que no podía alcanzar por sí mismo, y dijo: "¡Soy un pobre miserable! ¿Quién me librará de este cuerpo mortal?"[10] El mismo clamor ha surgido en todas partes y en todo tiempo de corazones cargados de culpabilidad. Para todos ellos hay una sola respuesta: "¡Aquí tienen al Cordero de Dios, que quita el pecado del mundo!".[11]

Muchas son las figuras mediante las cuales el Espíritu de Dios ha procurado ilustrar esta verdad y hacerla comprensible a todas las almas que desean verse libres de su carga de culpabilidad. Cuando Jacob huyó de la casa de su padre, después de haber pecado engañando a Esaú, estaba abrumado por el peso de su culpa. Se sentía solo, abandonado y separado de todo lo que le había hecho grata la vida. El pensamiento que más oprimía su alma era el temor de que su pecado lo hubiera apartado de Dios y que el cielo lo hubiera abandonado. Abatido por la tristeza, se recostó para descansar sobre la dura tierra. Se hallaba rodeado por las solitarias montañas y lo cubría la bóveda celeste con su manto de estrellas.

Mientras dormía, de repente vio una extraña luz. Desde la llanura donde estaba acostado, una larga e impresionante escalera parecía conducir a lo alto, hasta las mismas puertas del cielo. Los ángeles de Dios subían y bajaban por ella, mientras que desde la gloria de las alturas se oía la voz divina proclamando un mensaje de consuelo y esperanza.

Así se le reveló a Jacob lo que satisfacía la necesidad y ansia de su alma: un Salvador. Con gozo y gratitud vio que se le mostraba un camino por el cual él, aunque pecador, podía ser restituido a la comunión con Dios. La mística escalera de su sueño representaba al Señor Jesús, el único medio de comunicación entre Dios y los seres humanos.

A esta misma figura se refirió Cristo en su conversación con Natanael, cuando dijo: "Ciertamente les aseguro que ustedes verán abrirse el cielo, y a los ángeles de Dios subir y bajar sobre el Hijo del hombre".[12] Al caer en pecado, la humanidad se alejó de Dios; la tierra quedó separada del cielo. A través del abismo que surgió no podía haber comunicación alguna. Sin embargo, mediante el Señor Jesucristo, el mundo se unió nuevamente al cielo. Con sus propios méritos, Cristo creó un puente sobre el abismo que el pecado había abierto, de tal manera que todos podamos tener ahora comunión con los ángeles ministradores. Cristo une con la Fuente del poder infinito a los seres humanos caídos, débiles y desamparados.

Vanos son los sueños de progreso humano, inútiles todos sus esfuerzos por elevar a la humanidad, si menosprecian la única fuente de esperanza y ayuda para la raza caída. "Toda buena dádiva y todo don perfecto"[13] provienen de Dios. Fuera de él, no hay verdadera excelencia de carácter, y el único camino para ir a Dios es Cristo, quien dice: "Yo soy el camino, la verdad y la vida [...]. Nadie llega al Padre sino por mí".[14]

El corazón de Dios suspira por sus hijos terrenales con un amor más fuerte que la muerte. Al dar a su Hijo vertió todo el cielo en un don. La vida, la muerte y la intercesión del Salvador, el ministerio de los ángeles, las súplicas del Espíritu Santo, el Padre obrando por encima y a través de todo, el incesante interés de los seres celestiales:

todo ha sido movilizado en favor de nuestra redención.

¡Oh, contemplemos el sacrificio asombroso que fue hecho en favor nuestro! Procuremos apreciar el trabajo y la energía que el cielo consagra a rescatar al perdido y hacerlo volver a la casa de su Padre. Jamás podrían haberse puesto en acción motivaciones más fuertes y energías más poderosas. ¿Acaso las grandes recompensas por obrar bien, el disfrute del cielo, la compañía de los ángeles, la comunión y el amor de Dios y de su Hijo, la elevación y el acrecentamiento de todas nuestras facultades por las edades eternas, no son incentivos y estímulos poderosos que nos instan a dedicar a nuestro Creador y Salvador el amante servicio de nuestro corazón?

Por otra parte, los juicios de Dios pronunciados contra el pecado, la retribución inevitable, la degradación de nuestro carácter y la destrucción final se presentan en la Palabra de Dios como una advertencia contra el servicio a Satanás.

¿No apreciaremos la misericordia de Dios? ¿Qué más podía hacer? Entremos en perfecta relación con Aquel que nos amó con amor eterno. Aprovechemos los medios provistos para nosotros a fin de que seamos transformados conforme a su semejanza y restituidos a la comunión con los ángeles ministradores, a la armonía y comunión con el Padre y el Hijo.

Referencias

1. Colosenses 2:3
2. Job 14:4
3. Romanos 8:7
4. S. Juan 3:3
5. 1 Corintios 2:14
6. S. Juan 3:7
7. S. Juan 1:4
8. Hechos 4:12
9. Romanos 7:16, 12, 14
10. Romanos 7:24
11. S. Juan 1:29
12. S. Juan 1:51
13. Santiago 1:17
14. S. Juan 14:6

Un poder maravilloso que convence

¿Cómo se justificará el ser humano ante Dios? ¿Cómo se hará justo el pecador? Solo por medio de Cristo podemos ser puestos en armonía con Dios y con la santidad. Ahora bien, ¿cómo debemos ir a Cristo? Muchos formulan hoy la misma pregunta que hizo la multitud el día de Pentecostés, cuando, convencida de pecado, exclamó: "¿Qué debemos hacer?" La primera palabra de la respuesta del apóstol Pedro fue: "Arrepiéntanse". Poco después, en otra ocasión, dijo: "Para que sean borrados sus pecados, arrepiéntanse y vuélvanse a Dios".[1]

El arrepentimiento incluye tristeza por el pecado y abandono del mismo. No renunciaremos al pecado a menos que nos demos cuenta de su malignidad. Mientras no lo repudiemos de corazón, no habrá cambio real en nuestra vida.

Muchos no entienden la verdadera naturaleza del arrepentimiento. Muchas personas se entristecen por haber pecado, e incluso se reforman exteriormente, porque temen que su mala conducta sea causa de sufrimientos. Pero esto no es arrepentimiento en el sentido bíblico. Lamentan el sufrimiento más bien que el pecado. Así fue el pesar de Esaú cuando vio que había perdido su primogenitura para siempre. Balaam, aterrorizado por el ángel que estaba en su camino con la espada desenvainada, reconoció su culpa porque temía perder la vida, pero no experimentó un sincero arrepentimiento del pecado; no cambió de propósito ni aborreció el mal. Judas Iscariote, después de traicionar a su Señor, exclamó: "He pecado [...] porque he entregado sangre inocente".[2]

Esta confesión fue arrancada a su alma culpable por un tremendo sentimiento de condenación y una pavorosa expectativa de juicio. Las consecuencias que tendría que afrontar lo llenaban de terror, pero no experimentó profundo quebrantamiento de corazón ni dolor en su alma por haber traicionado al Hijo inmaculado de Dios y negado al Santo de Israel. Cuando el faraón de Egipto sufría bajo los juicios de Dios, reconocía su pecado a fin de escapar al castigo, pero volvía a desafiar al cielo tan pronto como cesaban las plagas. Todos los mencionados lamentaban los resultados del pecado, pero no experimentaron pesar por el pecado mismo.

Sin embargo, cuando el corazón cede a la influencia del Espíritu de Dios, la conciencia se vivifica y el pecador discierne algo de la profundidad y santidad de la sagrada ley de Dios, fundamento de su gobierno en el cielo y en la tierra. "Esa luz verdadera, la que alumbra a todo ser humano",[3] ilumina las cámaras secretas del alma, y se revela todo lo oculto. La convicción se posesiona de la mente y del corazón. El pecador reconoce entonces la justicia del Señor, y siente terror de aparecer en su iniquidad e impureza delante del que escudriña los corazones. Ve el amor de Dios, la belleza de la santidad y el gozo de la pureza. Ansía ser purificado y restituido a la comunión del cielo.

La oración de David después de su caída ilustra la naturaleza del verdadero dolor por el pecado. Su arrepentimiento fue sincero y profundo. No se esforzó por atenuar su culpa y su oración no fue inspirada por el deseo de escapar al juicio que lo amenazaba. David veía la enormidad de su transgresión y la contaminación de su alma; aborrecía su pecado. No solo pidió perdón, sino también que su corazón fuese purificado. Anhelaba el gozo de la santidad y ser restituido a la armonía y comunión con Dios. Este era el lenguaje de su alma:

"Dichoso aquel a quien
se le perdonan sus transgresiones,
a quien se le borran sus pecados.
Dichoso aquel a quien el Señor
no toma en cuenta su maldad
y en cuyo espíritu no hay engaño".[4]
"Ten compasión de mí, oh Dios,
conforme a tu gran amor;
conforme a tu inmensa bondad,
borra mis transgresiones. [...]
Yo reconozco mis transgresiones;
siempre tengo presente mi pecado. [...]
Purifícame con hisopo, y quedaré limpio;
lávame, y quedaré más blanco que la nieve. [...]
Crea en mí, oh Dios, un corazón limpio,
y renueva la firmeza de mi espíritu.

No me alejes de tu presencia
ni me quites tu santo Espíritu.
Devuélveme la alegría de tu salvación;
que un espíritu obediente me sostenga. [...]
Dios mío, Dios de mi salvación,
líbrame de derramar sangre,
y mi lengua alabará tu justicia".[5]

Sentir un arrepentimiento como este es algo que supera nuestro propio poder; se obtiene únicamente de Cristo, quien ascendió a lo alto y dio dones a los hombres.

Precisamente en este punto es donde muchos yerran, y por ello no reciben la ayuda que Cristo quiere darles. Piensan que no pueden ir a Cristo a menos que se arrepientan primero, y que el arrepentimiento los prepare para que sus pecados les sean perdonados. Es verdad que el arrepentimiento precede al perdón de los pecados; porque es únicamente el corazón quebrantado y contrito el que siente la necesidad de un Salvador; pero para poder ir al Señor Jesús, ¿el pecador ha de esperar hasta que se haya arrepentido? ¿Debe hacerse del arrepentimiento un obstáculo entre el pecador y el Salvador?

La Sagrada Escritura no enseña que el pecador tenga que arrepentirse antes de poder aceptar la invitación de Cristo: "Vengan a mí todos ustedes que están cansados y agobiados, y yo les daré descanso".[6] La virtud proveniente de Cristo es la que nos induce a un arrepentimiento genuino. El apóstol Pedro presentó el asunto de una manera muy clara cuando dijo a los israelitas: "Por su poder, Dios lo exaltó como Príncipe y Salvador, para que diera a Israel arrepentimiento y perdón de pecados".[7] Tan imposible es arrepentirse si el Espíritu de Cristo no despierta la conciencia, como lo es obtener el perdón sin Cristo.

Tan imposible es arrepentirse si el Espíritu de Cristo no despierta la conciencia, como lo es obtener el perdón sin Cristo.

Él es la fuente de todo buen impulso. Es el único que puede implantar en el corazón enemistad contra el pecado. Todo deseo de verdad y pureza, toda convicción de nuestra propia pecaminosidad, evidencian que su Espíritu está obrando en nuestro corazón.

Jesús dijo: "Pero yo, cuando sea levantado de la tierra, atraeré a todos a mí mismo".[8] Cristo tiene que ser revelado al pecador como el Salvador que murió por los pecados del mundo; y mientras contemplamos al Cordero de Dios sobre la cruz del Calvario, el misterio de la redención comienza a revelarse a nuestra mente y la bondad de Dios nos guía al arrepentimiento. Al morir por los pecadores, Cristo manifestó un amor incomprensible; y a medida que el pecador lo contempla, este amor enternece el corazón, impresiona la mente e inspira contrición al alma.

Es verdad que a veces los seres humanos se avergüenzan de sus caminos pecaminosos y abandonan algunos de sus malos hábitos antes de darse cuenta de que son atraídos a Cristo. Pero siempre que, animados de un sincero deseo de hacer el bien, hacen un esfuerzo por reformarse, es el poder de Cristo el que los está atrayendo. Una influencia de la cual no se dan cuenta obra sobre su alma, su conciencia se vivifica y su conducta externa se enmienda. Y cuando Cristo los induce a mirar su cruz y a contemplar a Aquel que fue traspasado por sus pecados, el mandamiento se graba en su conciencia. Les es revelada la maldad de su vida, el pecado profundamente arraigado en su alma. Comienzan a entender algo de la justicia de Cristo, y exclaman: "¿Qué es el pecado, para que haya exigido tal sacrificio por la redención de su víctima? ¿Fueron necesarios todo este amor, todo este sufrimiento, toda esta humillación, para que no pereciéramos, sino que tuviéramos vida eterna?"

El pecador puede resistirse a este amor, puede rehusar ser atraído a Cristo; pero si no se resiste, será atraído a Jesús; el conocimiento del plan de la salvación lo guiará al pie de la cruz, arrepentido de sus pecados, los cuales causaron los sufrimientos del amado Hijo de Dios.

La misma Inteligencia divina que obra en toda la naturaleza habla a los corazones de los hombres y las mujeres y crea en ellos un deseo indecible de algo que no tienen. Las cosas del mundo no pueden satisfacer su ansia. El Espíritu de Dios les suplica que busquen las únicas cosas que pueden dar paz y descanso: la gracia de Cristo y el gozo de la santidad. Por medio de influencias visibles e invisibles, nuestro Salvador está constantemente obrando para atraer el corazón de las mujeres y los hombres y sacarlos de los vanos placeres del pecado y llevarlos a las bendiciones infinitas que pueden obtener de él. A todas esas almas que procuran vanamente beber en las cisternas rotas de este mundo, se dirige el mensaje divino: "El que tenga sed, venga; y el que quiera, tome gratuitamente del agua de la vida".[9]

Si en tu corazón existe el anhelo de algo mejor que cuanto este mundo pueda ofrecer, reconoce en este deseo la voz de Dios que habla a tu alma. Pídele que te dé arrepentimiento, que te revele a Cristo en su amor infinito y en su pureza absoluta. En la vida del Salvador fueron perfectamente ejemplificados los principios de la ley de Dios: el amor a Dios y a la humanidad. La benevolencia y el amor desinteresado fueron la vida de su alma. Cuando contemplamos al Redentor, y su luz nos inunda, es cuando vemos la pecaminosidad de nuestro corazón.

Podemos lisonjearnos, como Nicodemo, de que nuestra vida ha sido íntegra, de que nuestro carácter moral es correcto, y pensar que no necesitamos humillar nuestro corazón delante de Dios como el pecador común; pero cuando la luz de Cristo resplandezca en nuestra alma, veremos cuán impuros somos: discerniremos el egoísmo de nuestros motivos y la enemistad contra Dios, que han manchado todos los actos de nuestra vida. Entonces conoceremos que nuestra propia justicia es, en verdad, como trapos de inmundicia y que solamente la sangre de Cristo puede limpiarnos de la contaminación del pecado y renovar nuestro corazón a la semejanza del Señor.

Un rayo de la gloria de Dios, una vislumbre de la pureza de Cristo, que penetre en el alma, hace dolorosamente visible toda mancha de pecado, y descubre la deformidad y los defectos del carácter humano. Hace patentes los deseos profanos, la incredulidad del corazón y la impureza de los labios. Los actos de deslealtad mediante los cuales el pecador invalida la ley de Dios quedan expuestos a su vista, y su espíritu se aflige y se acongoja bajo la penetrante influencia del Espíritu de Dios. En presencia del carácter puro y sin mancha de Cristo, el transgresor se aborrece a sí mismo.

Cuando el profeta Daniel contempló la gloria que rodeaba al mensajero celestial que le había sido enviado, se sintió abrumado por su propia debilidad e imperfección. Describiendo el efecto de la maravillosa escena, relató: "Las fuerzas me abandonaron, palideció mi rostro, y me sentí totalmente desvalido".[10] El alma así conmovida odiará su egoísmo y amor propio, y mediante la justicia de Cristo buscará la pureza de corazón que armoniza con la ley de Dios y con el carácter de Cristo.

El apóstol Pablo dice que "en cuanto a la justicia que la ley exige", es decir, en lo referente a las obras externas, era "intachable",[11] pero cuando percibió el carácter espiritual de la ley, se reconoció pecador. Juzgado por la letra de la ley como las mujeres y los hombres la aplican a la vida externa, él se había abstenido de pecar; pero cuando miró en la profundidad de los santos preceptos, y se vio como Dios lo veía, se humilló profundamente y confesó su culpabilidad: "En otro tiempo yo tenía vida aparte de la ley; pero cuando vino el mandamiento, cobró vida el pecado y yo morí".[12] Cuando percibió la naturaleza espiritual de la ley, vio lo horrible que es el pecado, y su autoestima se desvaneció.

No todos los pecados son de igual magnitud delante de Dios, hay diferencia de pecados a su juicio, como la hay a juicio de los seres humanos. Sin embargo, aunque este o aquel acto malo pueda a nosotros parecernos trivial, ningún pecado es pequeño a la vista de Dios. El juicio de los seres humanos es parcial e imperfecto; pero Dios ve todas las cosas como son realmente. Al borracho se lo desprecia y se le dice que su pecado lo excluirá del cielo, mientras que demasiado a menudo el orgullo, el egoísmo y la codicia no son reprendidos. Sin embargo, son pecados que ofenden en forma especial a Dios, porque contrarían la benevolencia de su carácter, ese amor abnegado que es la misma atmósfera del universo no caído. Quien comete alguno de los pecados más groseros puede avergonzarse y sentir su pobreza y necesidad de la gracia de Cristo; pero el orgulloso no siente necesidad alguna y así cierra su corazón a Cristo, y se priva de las infinitas bendiciones que él vino a derramar.

El pobre publicano que oraba diciendo: "¡Oh Dios, ten compasión de mí, que soy pecador!"[13] se consideraba como un hombre muy malvado, y así lo veían los demás; pero él sentía su necesidad, y con su carga de pecado y vergüenza se presentó a Dios e imploró su misericordia. Su corazón estaba abierto para que el Espíritu de Dios llevara a cabo en él su obra de gracia y lo libertara del poder del pecado. La oración jactanciosa y presuntuosa del fariseo demostró que su corazón estaba cerrado a la influencia del Espíritu Santo. Por estar lejos de Dios, no tenía idea de su propia corrupción, que contrastaba con la perfección de la santidad divina. No sentía necesidad alguna y nada recibió.

Si percibes tu condición pecaminosa, no esperes hasta hacerte mejor a ti mismo. ¡Cuántos hay que piensan que no son bastante buenos para ir a Cristo! ¿Esperarán hacerse mejores por sus propios esfuerzos? "¿Puede el etíope cambiar de piel, o el leopardo quitarse sus manchas? ¡Pues tampoco ustedes pueden hacer el bien, acostumbrados como están a hacer el mal!"[14] Únicamente en Dios hay ayuda para nosotros. No debemos permanecer en espera de persuasiones más fuertes, de mejores oportunidades, o de tener un carácter más santo. Nada podemos hacer por nosotros mismos. Hemos de acudir a Cristo así como somos.

La tremenda malignidad del pecado solo puede medirse a la luz de la cruz.

Pero nadie se engañe a sí mismo pensando que Dios, en su gran amor y misericordia, salvará incluso a quienes rechazan su gracia. La tremenda malignidad del pecado solo puede medirse a la luz de la cruz. Cuando los seres humanos insisten en que Dios es demasiado bueno para desechar al pecador, que miren al Calvario. Si Cristo cargó con la culpa del desobediente y sufrió en lugar del pecador, fue porque no había otra manera de que los seres humanos pudieran salvarse. Sin ese sacrificio sería imposible que la familia humana escapara del poder contaminador del pecado y fuera restituida a la comunión con los seres santos; sería imposible que volviera a participar de la vida espiritual. El amor, los sufrimientos y la muerte del Hijo de Dios, ponen de manifiesto lo espantoso que es el pecado y demuestran que no hay modo de escapar de su poder, ni esperanza de una vida superior; sino mediante la sumisión del alma a Cristo.

Algunas veces los impenitentes se excusan diciendo de quienes profesan ser cristianos: "Soy tan bueno como ellos. No se comportan con más abnegación, sobriedad y equilibrio que yo. Les atraen los placeres y la complacencia propia tanto como a mí". Así hacen de las faltas ajenas una excusa para descuidar su deber. Pero los pecados y las faltas de otros no disculpan a nadie, porque el Señor no nos ha dado un modelo humano sujeto al error. El inmaculado Hijo de Dios es quien se nos ha dado como ejemplo, y los que se quejan de la mala conducta de quienes profesan creer en él, deberían presentar una vida mejor y ejemplos más nobles. Si tienen un concepto tan elevado de lo que un cristiano debe ser, ¿no es su pecado mucho mayor? Saben lo que es correcto, y sin embargo rehúsan hacerlo.

Ten cuidado con las dilaciones. No postergues

la obra de abandonar tus pecados y buscar la pureza del corazón por medio del Señor Jesús. En esto es donde miles y miles han errado a costa de su perdición eterna. No insistiré aquí en la brevedad e incertidumbre de la vida; pero se corre un terrible peligro, que no se comprende lo suficiente, cuando se posterga el acto de ceder a la voz suplicante del Santo Espíritu de Dios y se prefiere vivir en el pecado, porque tal demora consiste realmente en eso. No se puede continuar en el pecado, por pequeño que se lo considere, sin correr el riesgo de una pérdida infinita. Lo que no venzamos nos vencerá a nosotros y nos destruirá.

No se puede continuar en el pecado, por pequeño que se lo considere, sin correr el riesgo de una pérdida infinita.

Adán y Eva se convencieron de que algo tan insignificante como el hecho de comer la fruta prohibida no podía tener consecuencias tan terribles como las que Dios había anunciado. Pero ese pequeño acto era una transgresión de la santa e inmutable ley de Dios, que separó de su Creador a la primera pareja y abrió las compuertas a través de las cuales se precipitaron sobre nuestro mundo la muerte e innumerables desgracias. Como consecuencia de la desobediencia del hombre y de la mujer, siglo tras siglo ha subido de nuestra tierra un continuo lamento de aflicción y la creación entera gime bajo la carga terrible del dolor. El cielo mismo ha sentido los efectos de la rebelión del ser humano contra Dios. El Calvario se destaca como un recordatorio del sacrificio asombroso que se requirió para expiar la transgresión de la ley divina. No consideremos pues el pecado como algo trivial.

Toda transgresión, todo descuido o rechazo de la gracia de Cristo, obra indirectamente sobre nosotros; endurece el corazón, deprava la voluntad, entorpece el entendimiento, y no solo nos vuelve menos inclinados a ceder, sino también menos capaces de oír las tiernas súplicas del Espíritu de Dios.

Muchos apaciguan su conciencia inquieta con la idea de que pueden cambiar su mala conducta cuando quieran, de que pueden tratar con ligereza las invitaciones de la misericordia, y seguir sintiendo todavía las impresiones de ella. Piensan que después de menospreciar al Espíritu de gracia, y después de someterse a la influencia de Satanás, en un momento de extrema necesidad podrán cambiar su modo de proceder. Pero esto no se logra tan fácilmente. La experiencia y la educación de una vida entera han amoldado de tal manera el carácter, que pocos desean después recibir la imagen de Jesús.

Un solo rasgo malo en el carácter, un solo deseo pecaminoso, persistentemente albergado, neutraliza a veces todo el poder del evangelio. Cada vez que uno cede al pecado, se fortalece la aversión del alma hacia Dios. El hombre y la mujer que manifiestan un descreído atrevimiento o una insensible indiferencia hacia la verdad, no están más que recogiendo la cosecha de su propia siembra. En toda la Escritura no hay amonestación más terrible contra el hábito de jugar con el mal que estas palabras del sabio: "Al malvado lo atrapan sus malas obras".[15]

Un solo rasgo malo en el carácter, un solo deseo pecaminoso, persistentemente albergado, neutraliza a veces todo el poder del evangelio.

Cristo está listo para libertarnos del pecado, pero no fuerza la voluntad; y si esta, por la persistencia en la transgresión, se inclina por completo al mal, y no *deseamos* ser libres ni *queremos* aceptar la gracia del Señor, ¿qué más puede hacer? Al rechazar deliberadamente su amor, hemos labrado nuestra propia destrucción. "Les digo que este es el momento propicio de Dios; ¡hoy es el día de salvación!"[16] "Si ustedes oyen hoy su voz, no endurezcan el corazón".[17]

"La gente se fija en las apariencias, pero yo me fijo en el corazón";[18] en el corazón humano con sus encontradas emociones de gozo y de tristeza, el extraviado y caprichoso corazón, morada de tanta impureza y engaño. El Señor conoce sus motivos, sus mismos intentos y designios. Acude a él con tu alma manchada así como está. Como el salmista, abre lo íntimo de tu corazón al ojo que todo lo ve, exclamando: "Examíname, oh Dios, y sondea mi corazón; ponme a prueba y sondea mis pensamientos. Fíjate si voy por mal camino, y guíame por el camino eterno".[19]

Muchos aceptan una religión intelectual, una forma de santidad, sin que el corazón haya sido limpiado. Que tu oración sea: "Crea en mí, oh Dios, un corazón limpio, y renueva la firmeza de mi espíritu".[20] Sé honesto contigo mismo. Sé tan diligente, tan persistente, como lo serías si tu vida mortal estuviera en peligro. Este es un asunto que debe decidirse entre Dios y tu conciencia, y es una decisión para la eternidad; puesto que una esperanza irreal lo que haría es provocar tu propia ruina.

Estudia la Palabra de Dios con oración. Ella te presenta, en la ley de Dios y en la vida de Cristo, los grandes principios de la santidad, "sin la cual nadie verá al Señor".[21] Convence de pecado; revela plenamente el camino de la salvación. Préstale atención como la voz de Dios hablando a tu alma.

Cuando veas la enormidad del pecado, cuando te veas cómo eres en realidad, no te entregues a la desesperación, pues a los pecadores es a quienes Cristo vino a salvar. No tenemos que reconciliar a Dios con nosotros, sino que —¡oh maravilloso amor!— "en Cristo, Dios estaba reconciliando al mundo consigo mismo".[22] Por su tierno amor está atrayendo hacia él los corazones de sus hijos errantes. Ningún padre según la carne podría ser tan paciente con las

Ningún padre según la carne podría ser tan paciente con las faltas y los yerros de sus hijos, como lo es Dios con aquellos a quienes trata de salvar.

faltas y los yerros de sus hijos, como lo es Dios con aquellos a quienes trata de salvar. Nadie podría argüir más tiernamente con el pecador. Jamás enunciaron los labios humanos invitaciones más tiernas que las dirigidas por él al extraviado. Todas sus promesas, sus amonestaciones, no son más que la expresión de su amor inefable.

Cuando Satanás acude a decirte que eres un gran pecador, alza los ojos a tu Redentor y habla de sus méritos. Lo que te ayudará será mirar su luz. Reconoce tu pecado, pero di al enemigo que "Cristo Jesús vino al mundo a salvar a los pecadores",[23] y que puedes ser salvo por su incomparable amor. El Señor Jesús hizo una pregunta a Simón con respecto a dos deudores. El primero debía a su señor una pequeña suma y el otro una enorme; pero él a ambos los perdonó. Entonces Cristo preguntó a Simón cuál de estos dos deudores amaría más a su señor. Simón contestó: "Supongo que aquel a quien más le perdonó".[24] Hemos sido grandes deudores, pero Cristo murió para que seamos perdonados. Los méritos de su sacrificio son suficientes para presentarlos al Padre en nuestro favor. Aquellos a quienes más haya perdonado, lo amarán más y estarán más cerca de su trono para alabarlo por su gran amor y su sacrificio infinito. Cuanto más plenamente comprendamos el amor de Dios, mejor nos percataremos de la malignidad del pecado. Cuando vemos cuán larga es la cadena que se nos tendió para rescatarnos; cuando entendemos algo del sacrificio infinito que Cristo hizo en nuestro favor, nuestro corazón se conmueve de ternura y contrición.

Referencias

1. Hechos 2:37, 38; 3:19
2. S. Mateo 27:4
3. S. Juan 1:9
4. Salmo 32:1, 2
5. Salmo 51:1-14
6. S. Mateo 11:28
7. Hechos 5:31
8. S. Juan 12:32
9. Apocalipsis 22:17
10. Daniel 10:8
11. Filipenses 3:6
12. Romanos 7:9
13. S. Lucas 18:13
14. Jeremías 13:23
15. Proverbios 5:22
16. 2 Corintios 6:2
17. Hebreos 3:7, 8
18. 1 Samuel 16:7
19. Salmo 139:23, 24
20. Salmo 51:10
21. Hebreos 12:14
22. 2 Corintios 5:19
23. 1 Timoteo 1:15
24. S. Lucas 7:43

Para obtener la paz interior

"Quien encubre su pecado jamás prospera; quien lo confiesa y lo deja, halla perdón".[1] Las condiciones indicadas para obtener la misericordia de Dios son sencillas, justas y razonables. El Señor no nos exige que hagamos algo penoso para obtener el perdón de nuestros pecados. No necesitamos hacer largas y agotadoras peregrinaciones, ni ejecutar duras penitencias, para encomendar nuestras almas al Dios de los cielos o para expiar nuestras transgresiones; sino que todo aquel que confiese su pecado y se aparte de él alcanzará misericordia.

El apóstol dice: "Confiésense unos a otros sus pecados, y oren unos por otros, para que sean sanados".[2] Confiesen sus pecados a Dios, el único que puede perdonarlos, y sus faltas unos a otros. Si has hecho algo que ha ofendido a tu amigo o vecino, tienes que reconocer tu falta, y es su deber perdonarte con buena voluntad. Y entonces es necesario que busques el perdón de Dios, porque el hermano a quien ofendiste pertenece a Dios, y al perjudicarlo pecaste contra su Creador y Redentor. El caso se debe presentar al único y verdadero Mediador, nuestro gran Sumo Sacerdote, que "ha sido tentado en todo de la misma manera que nosotros, aunque sin pecado", quien puede "compadecerse de nuestras debilidades"[3] y limpiarnos de toda mancha de pecado.

Quienes no han humillado su alma delante de Dios reconociendo su culpa, no han cumplido todavía la primera condición de la aceptación. Si no hemos experimentado ese arrepentimiento del cual nadie tiene que arrepentirse, y si no hemos confesado nuestros pecados con verdadera humillación del alma y quebrantamiento del espíritu, aborreciendo nuestra iniquidad, en realidad nunca hemos buscado el perdón de nuestros pecados. Y si no lo hemos buscado, tampoco encontraremos la paz divina. La única razón por la cual no obtenemos la remisión de nuestros pecados pasados es que no estamos dispuestos a humillar nuestro corazón ni a cumplir las condiciones que impone la Palabra de verdad. Se nos dan instrucciones explícitas tocante a este asunto. La confesión de nuestros pecados, ya sea pública o privada, tiene que ser de corazón y voluntaria. No debe ser impuesta al pecador. No ha de hacerse de un modo ligero y descuidado, o exigirse de quienes no tienen una comprensión real del carácter aborrecible del pecado. La confesión que brota de lo íntimo del alma sube al Dios de piedad infinita. El salmista nos dice: "El Señor está cerca de los quebrantados de corazón, y salva a los de espíritu abatido".[4]

La verdadera confesión es siempre de carácter específico y reconoce pecados concretos.

La verdadera confesión es siempre de carácter específico y reconoce pecados concretos. Quizá sean de tal naturaleza que solo puedan presentarse delante de Dios. Quizá sean males que tengan que confesarse individualmente a los que hayan sido dañados por ellos; o quizá sean de carácter público, y en ese caso es preciso confesarlos públicamente. Ahora bien, toda confesión debe ser concreta y directa, para reconocer en forma definida los pecados de los que uno sea culpable.

En los días de Samuel los israelitas se alejaron de Dios. Estaban sufriendo las consecuencias del pecado, pues habían perdido su fe en Dios, el discernimiento de su poder y de su sabiduría para gobernar a la nación. No confiaban en la capacidad del Señor para defender y vindicar su causa. Se apartaron del gran Gobernante del universo, y desearon ser gobernados como las naciones que los rodeaban. Antes de encontrar paz hicieron esta confesión explícita: "A todos nuestros pecados hemos añadido la maldad de pedirle un rey".[5] Tenían que confesar el pecado concreto del cual se habían hecho culpables. Su ingratitud oprimía sus almas y los separaba de Dios.

La confesión no es aceptable ante Dios si no va acompañada de un arrepentimiento sincero y una reforma. Tiene que haber cambios decididos en la vida. Es necesario abandonar todo lo que ofenda a Dios. Este es el resultado de una verdadera tristeza por el pecado. Se nos presenta claramente lo que tenemos que hacer por nuestra parte: "¡Lávense, límpiense! ¡Aparten de mi vista sus obras malvadas! ¡Dejen de hacer el mal! ¡Aprendan a hacer el bien! ¡Busquen la justicia y reprendan al opresor! ¡Aboguen por el huérfano y defiendan a la viuda!".[6] Si el malvado "devuelve lo que tomó en prenda y restituye lo que robó, y obedece los preceptos de vida, sin cometer ninguna iniquidad, ciertamente vivirá y no morirá".[7] El apóstol Pablo dice, hablando de la obra del arrepentimiento: "Fíjense lo que ha producido en ustedes esta tristeza que proviene de Dios: ¡qué empeño, qué afán por disculparse, qué indignación, qué temor, qué anhelo, qué preocupación, qué disposición para ver que se haga justicia! En todo han demostrado su inocencia en este asunto".[8]

Cuando el pecado finalmente amortigua la percepción moral, quien obra mal no discierne los defectos de su carácter ni comprende la enormidad del mal que ha cometido; y a menos que ceda al poder convincente del Espíritu Santo permanecerá parcialmente ciego con respecto a su pecado. Sus confesiones no son sinceras ni provienen del corazón. Cada vez que reconoce su maldad añade una disculpa de su conducta al declarar que si no hubiera sido por ciertas circunstancias no habría hecho esto o aquello que se le reprocha.

Después de haber comido el fruto prohibido, a Adán y Eva los embargó un sentimiento de vergüenza y terror. Al principio solo pensaban en cómo podrían excusar su pecado y escapar a la temida sentencia de muerte. Cuando el Señor les habló de su pecado, Adán respondió echando la culpa en parte a Dios y en parte a su compañera: "La mujer que me diste por compañera me dio de ese fruto, y yo lo comí". La mujer echó la culpa a la serpiente, diciendo: "La serpiente me engañó, y comí".[9] ¿Por qué hiciste la serpiente? ¿Por qué permitiste que entrara en el Edén? Esas eran las preguntas implícitas en la excusa que dio por su pecado, haciendo así a Dios responsable de su caída. El espíritu de justificación propia tuvo su origen en el padre de la mentira, y lo han manifestado todos los hijos e hijas de Adán.

Las confesiones de este tipo no son inspiradas por el Espíritu divino, y para Dios no resultan aceptables. El arrepentimiento verdadero nos induce a reconocer, sin engaño ni hipocresía, nuestra propia maldad. Como el pobre publicano que no se atrevía ni siquiera a alzar los ojos al cielo, exclamaremos: "Dios, ten misericordia de mí, pecador". Quienes reconozcan así la iniquidad serán justificados, porque el Señor Jesús presentará su sangre en favor del alma arrepentida.

Los ejemplos de arrepentimiento y humillación genuinos que da la Palabra de Dios revelan un espíritu de confesión que no busca excusas por el pecado ni intenta su propia justificación. El apóstol Pablo no procuraba defenderse, sino que pintaba su pecado con sus colores más oscuros y no intentaba atenuar su culpa. Dijo: "Eso es precisamente lo que hice en Jerusalén. Con la autoridad de los jefes de los sacerdotes metí en la cárcel a muchos de los santos, y cuando los mataban, yo manifestaba mi aprobación. Muchas veces anduve de sinagoga en sinagoga castigándolos para obligarlos a blasfemar. Mi obsesión contra ellos me llevaba al extremo de perseguirlos incluso en ciudades del extranjero".[10] Sin vacilar declaró: "Cristo Jesús vino al mundo a salvar a los pecadores, de los cuales yo soy el primero".[11]

El arrepentimiento verdadero nos induce a reconocer, sin engaño ni hipocresía, nuestra propia maldad.

El corazón humilde y quebrantado, enternecido por el arrepentimiento genuino, apreciará algo del amor de Dios y del costo del Calvario; y como el hijo que se confiesa a un padre amoroso, quien esté verdaderamente arrepentido presentará todos sus pecados delante de Dios. Y escrito está: "Si confesamos nuestros pecados, Dios, que es fiel y justo, nos los perdonará y nos limpiará de toda maldad".[12]

Referencias

1. Proverbios 28:13
2. Santiago 5:16
3. Hebreos 4:15
4. Salmo 34:18
5. 1 Samuel 12:19
6. Isaías 1:16, 17
7. Ezequiel 33:15
8. 2 Corintios 7:11
9. Génesis 3:12, 13
10. Hechos 26:10, 11
11. 1 Timoteo 1:15
12. 1 S. Juan 1:9

Capítulo 5

La consagración

La promesa de Dios es: "Me buscarán y me encontrarán, cuando me busquen de todo corazón".[1]

Hemos de entregar a Dios todo el corazón, o no se realizará el cambio que se tiene que efectuar en nosotros, por el cual hemos de ser transformados conforme a la semejanza divina. Por naturaleza estamos enemistados con Dios. El Espíritu Santo describe nuestra condición en palabras como estas: "Muertos en sus transgresiones y pecados";[2] "toda su cabeza está herida, todo su corazón está enfermo", "no les queda nada sano".[3] Satanás, nos ha hecho caer en "la trampa" y nos "tiene cautivos, sumisos a su voluntad".[4] Dios quiere sanarnos y libertarnos. Pero como esto exige una transformación completa y la renovación de toda nuestra naturaleza, debemos entregarnos a él completamente.

La guerra contra nosotros mismos es la batalla más grande que jamás se haya reñido. Rendir el yo, entregando todo a la voluntad de Dios, requiere una lucha. Ahora bien, para que el alma sea renovada en santidad, ha de someterse antes a Dios.

El gobierno de Dios no se funda en una sumisión ciega, ni en una reglamentación irracional, como Satanás quiere hacerlo aparecer. Al contrario, apela a la razón y a la conciencia. "Vengan, pongamos las cosas en claro"[5] es la invitación del Creador a los seres que formó. Dios no fuerza la voluntad de sus criaturas. No puede aceptar un homenaje que no le sea tributado voluntaria e inteligentemente. Una mera sumisión forzada impedirá todo desarrollo real de la mente y del carácter: haría de la gente simples autómatas. Este no es el designio del Creador. Él desea que el ser humano, que es la obra maestra de su poder creador, alcance el más alto desarrollo posible. Nos presenta la gloriosa altura a la cual quiere elevarnos mediante su gracia. Nos invita a entregarnos a él para que pueda cumplir su voluntad en nosotros. A nosotros nos toca decidir si queremos ser libres de la esclavitud del pecado para compartir la libertad gloriosa de los hijos de Dios.

Al consagrarnos a Dios, tenemos necesariamente que abandonar todo aquello que nos separaría de él. Por eso dice el Salvador: "De la misma manera, cualquiera de ustedes que no renuncie a todos sus bienes, no puede ser mi discípulo".[6] Es necesario que renunciemos a todo lo que aleje de Dios nuestro corazón. Las riquezas son el ídolo de muchos. El amor al dinero y el deseo de acumular fortuna constituyen la cadena de oro que los tiene sujetos a Satanás. Otros adoran la reputación y los honores del mundo. Una vida de comodidad egoísta, libre de responsabilidad, es el ídolo de otros. Pero estas ataduras de servidumbre tienen que ser rotas. No podemos consagrar una parte de nuestro corazón al Señor, y la otra al mundo. No somos hijos de Dios a menos que lo seamos sin reservas.

No podemos consagrar una parte de nuestro corazón al Señor, y la otra al mundo. No somos hijos de Dios a menos que lo seamos sin reservas.

Hay quienes profesan servir a Dios a la vez que confían en sus propios esfuerzos para obedecer su ley, desarrollar un carácter recto y asegurarse la salvación. Sus corazones no son movidos por un sentimiento profundo del amor de Cristo, sino que procuran cumplir los deberes de la vida cristiana como algo que Dios les exige para ganar el cielo. La religión planteada así no tiene ningún valor. Cuando Cristo mora en el corazón, el alma rebosa de tal manera de su amor y del gozo de su comunión, que se aferra a él; y contemplándolo se olvida de sí misma. El amor a Cristo es el móvil de sus acciones.

Quienes se sienten motivados por el amor de Dios no preguntan cuánto es lo mínimo que pueden ofrecerle para satisfacer lo que él requiere; no preguntan cuál es la norma más baja que acepta, sino que aspiran a una vida de completa conformidad con la voluntad de su Redentor. Con ardiente deseo lo entregan todo y manifiestan un interés proporcional al valor del objeto que procuran. Profesar pertenecer a Cristo sin sentir ese profundo amor, es mera palabrería, árido formalismo, gravosa e insoportable obligación.

¿Crees que es un sacrificio demasiado grande darlo todo a Cristo? Pregúntate: "¿Qué hizo Cristo por mí?" El Hijo de Dios lo dio todo para redimirnos: vida, amor y sufrimientos. ¿Es posible que nosotros, seres indignos de tan inmenso amor, nos neguemos a entregarle nuestro corazón? Cada momento de nuestra vida hemos compartido las bendiciones de su gracia, y por esta misma razón no podemos comprender plenamente las profundidades de la ignorancia y la miseria de las que hemos sido rescatados. ¿Es posible que veamos a Aquel a quien traspasaron nuestros pecados y continuemos, sin embargo, menospreciando todo su amor y sacrificio? Viendo la humillación infinita del Señor de gloria, ¿murmuraremos porque no podemos entrar en la vida sino a costa de conflictos y humillación propia?

Muchos corazones orgullosos preguntan: "¿Por qué necesitamos arrepentirnos y humillarnos antes de poder tener la seguridad de que somos aceptados por Dios?" Mira a Cristo. En él no había pecado alguno, y lo que es más, era el Príncipe del cielo y, sin embargo, por causa del ser humano se hizo pecado. "Fue contado entre los transgresores. Cargó con el pecado de muchos, e intercedió por los pecadores".[7]

¿Y qué abandonamos cuando lo damos todo? Un corazón manchado de pecado, para que el Señor

Jesús lo purifique y lo limpie con su propia sangre, para que lo salve con su incomparable amor. ¡Y sin embargo, a las mujeres y a los hombres se nos hace tan difícil renunciar a todo! Me avergüenzo de oírlo decir y de escribirlo.

Dios no nos pide que renunciemos a nada de lo que puede contribuir a nuestro mayor provecho. En todo lo que hace tiene presente el bienestar de sus hijos. ¡Ojalá que todos aquellos que no han decidido seguir a Cristo pudieran comprender que él tiene algo muchísimo mejor que ofrecerles que cuanto están buscando por sí mismos!

Dios no nos pide que renunciemos a nada de lo que puede contribuir a nuestro mayor provecho. En todo lo que hace tiene presente el bienestar de sus hijos.

Los seres humanos le causamos a nuestra alma los mayores perjuicios e injusticias cuando pensamos y obramos de un modo contrario a la voluntad de Dios. No se puede obtener realmente ningún gozo siguiendo la senda prohibida por Aquel que conoce lo que es mejor, y tiene en mente el bien de sus criaturas. La senda de la transgresión es el camino de la miseria y la destrucción.

Es un error dar cabida al pensamiento de que Dios se complace en ver sufrir a sus hijos. Todo el cielo está interesado en la felicidad de cada ser humano. Nuestro Padre celestial no cierra los portales del gozo a ninguna de sus criaturas. Los requerimientos de Dios nos invitan a dejar a un lado todos los placeres que traen consigo sufrimiento y contratiempos, que nos cierran la puerta de la felicidad y del cielo. El Redentor del mundo acepta a los seres humanos como son, con todas sus necesidades, imperfecciones y debilidades, y no solamente los limpiará de pecado y les concederá redención por su sangre, sino que satisfará el anhelo de todos los que consientan en llevar su yugo y su carga. Es su designio dar paz y descanso a quienes acudan a él en busca del pan de vida. Solo nos pide que cumplamos los deberes que guiarán nuestros pasos a las alturas de una dicha inefable que los desobedientes jamás podrán alcanzar. La vida verdadera y gozosa del alma consiste en que se forme en ella Cristo, esperanza de gloria.

Muchos se preguntan: "*¿Cómo* me entregaré a Dios?" Tú deseas hacer su voluntad, pero eres moralmente débil, esclavo de la duda y dominado por los hábitos de tu vida pecaminosa. Las promesas y resoluciones que haces son tan frágiles como telarañas. No puedes gobernar tus pensamientos, impulsos y afectos. El recuerdo de tus promesas no cumplidas y de tus votos quebrantados debilita la confianza que tuviste en tu propia sinceridad, y te induce a sentir que Dios no puede aceptarte; pero no tienes por qué desesperarte. Lo que necesitas es tomar conciencia del verdadero poder de la voluntad. Este es el poder gobernante en la naturaleza del ser humano, la facultad de decidir o elegir. Todo depende de la correcta acción de la voluntad. Dios dio a los seres humanos la capacidad de elegir; a ellos les toca ejercerla. Tú no puedes cambiar tu corazón, ni entregar por ti mismo tus afectos a Dios, pero puedes *elegir* servirle. Puedes entregarle tu voluntad para que él obre en ti tanto el querer como el hacer, según su voluntad. De ese modo tu naturaleza entera estará bajo el dominio del Espíritu de Cristo, tus afectos se concentrarán en él y tus pensamientos se pondrán en armonía con los suyos.

Tú no puedes cambiar tu corazón, ni entregar por ti mismo tus afectos a Dios, pero puedes elegir servirle.

La intención ser bondadoso y santo es muy loable; pero si no pasas de ahí, de nada te servirá.

Muchos, esperando y deseando ser cristianos, se perderán. No llegan al punto de supeditar su voluntad a Dios. No *deciden* ser cristianos ahora.

Por medio del debido ejercicio de la voluntad puede obrarse un cambio completo en tu vida. Al entregar tu voluntad a Cristo, te unes con el poder que está por encima de todo principado y potestad. Recibirás fortaleza de lo alto para sostenerte firme. Rindiéndote constantemente a Dios serás capacitado para vivir una vida nueva, es decir, la vida de la fe.

Referencias

1. Jeremías 29:13
2. Efesios 2:1
3. Isaías 1:5, 6
4. 2 Timoteo 2:26
5. Isaías 1:18
6. S. Lucas 14:33
7. Isaías 53:12

Capítulo 6

Maravillas obradas por la fe

A medida que tu conciencia ha sido vivificada por el Espíritu Santo, te vas dando cuenta de la perversidad del pecado, de su poder, su culpa, su miseria; y lo miras con aborrecimiento. Sientes que el pecado te separó de Dios y que te hallas bajo la servidumbre del poder del mal. Cuanto más luchas por escapar, tanto mejor comprendes tu falta de fuerza. Tus motivos son impuros; tu corazón, corrompido. Ves que tu vida ha estado colmada de egoísmo y pecado. Ansías ser perdonado, limpiado y liberado. ¿Qué puedes hacer para obtener la armonía con Dios y la semejanza con él?

Lo que necesitas es paz, tener en el alma el perdón, la paz y el amor del cielo. Todo esto no se puede adquirir con dinero; la inteligencia y la sabiduría no pueden alcanzarlo, ni puedes esperar conseguirlo por tu propio esfuerzo. Pero Dios te los ofrece como un don, "sin pago alguno".[1] Es todo tuyo, con tal que extiendas la mano para tomarlo. El Señor dice: "¿Son sus pecados como escarlata? ¡Quedarán blancos como la nieve! ¿Son rojos como la púrpura? ¡Quedarán como la lana!"[2] "Les daré un nuevo corazón, y les infundiré un espíritu nuevo".[3]

Has confesado tus pecados y en tu corazón los has desechado. Has resuelto entregarte a Dios. Ve, pues, a él, y pídele que te limpie de tus pecados y te dé un corazón nuevo. Cree que lo hará *porque lo ha prometido*. Esta es la lección que el Señor Jesús enseñó mientras estuvo en la tierra. Debemos creer que recibimos el don que Dios nos promete, y lo poseemos. El Señor Jesús sanaba a los enfermos cuando tenían fe en su poder; les ayudaba con las cosas que podían ver; así les inspiraba confianza en él tocante a las cosas que no podían ver y los inducía a creer en su poder de perdonar los pecados. Esto se ve claramente en el caso del paralítico: "Pues *para que sepan que el Hijo del hombre tiene autoridad en la tierra para perdonar pecados* —se dirigió entonces al paralítico—: Levántate, toma tu camilla y vete a tu casa".[4] Así también Juan el evangelista, al hablar de los milagros de Cristo, dice: "Estas [señales milagrosas] se han escrito para que ustedes crean que Jesús es el Cristo, el Hijo de Dios, y para que al creer en su nombre tengan vida".[5]

Del simple relato de la Escritura acerca de cómo Jesús sanaba a los enfermos podemos aprender algo con respecto al modo de ir a Cristo para que nos perdone nuestros pecados. Veamos ahora el caso del paralítico de Betesda. Aquel pobre enfermo estaba imposibilitado; no había usado sus miembros durante treinta y ocho años. Con todo, el Señor le dijo: "¡Levántate, alza tu camilla, y anda!" El paralítico podría haber dicho: "Señor, si me sanas primero, obedeceré tu palabra". Sin embargo, aceptó la palabra de Cristo, creyó que estaba sano e hizo el esfuerzo en seguida; *quiso* andar y anduvo. Confió en la palabra de Cristo, y Dios le dio el poder. Así fue sanado.

Tú también eres pecador. No puedes expiar tus

pecados pasados, no puedes cambiar tu corazón y hacerte santo. Pero Dios promete hacer todo esto por ti mediante Cristo. Has *creído* en esa promesa. Has confesado tus pecados y te has entregado a Dios. *Quieres* servirle. Tan ciertamente como hiciste todo esto, Dios cumplirá su palabra contigo. Si crees la promesa, si crees que estás perdonado y limpiado, Dios lo da por hecho, estás sano; tal como Cristo dio fuerzas al paralítico para andar cuando el hombre creyó que había sido sanado. Así *es* si así lo crees.

No esperes hasta sentir que estás sano, sino di: "Lo creo; así es, no porque lo sienta, sino porque Dios lo ha prometido".

No esperes hasta *sentir* que estás sano, sino di: "Lo creo; así *es*, no porque yo lo sienta, sino porque Dios lo ha prometido".

Dice el Señor Jesús: "Crean que ya han recibido todo lo que estén pidiendo en oración, y lo obtendrán".[6] Una condición acompaña a esta promesa: que pidamos conforme a la voluntad de Dios. Por otra parte, la voluntad de Dios es limpiarnos del pecado, hacernos hijos suyos y habilitarnos para vivir una vida santa. De modo que podemos pedir a Dios estas bendiciones, creer que las hemos recibido y darle gracias por *haberlas recibido*. Es nuestro privilegio ir a Jesús para que nos limpie y así subsistir delante de la ley sin confusión ni remordimiento. "Por lo tanto, ya no hay ninguna condenación para los que están unidos a Cristo Jesús".[7]

De modo que ya no te perteneces, porque fuiste comprado por precio. "Ustedes fueron rescatados [...]. El precio de su rescate no se pagó con cosas perecederas, como el oro o la plata, sino con la preciosa sangre de Cristo".[8] Mediante este sencillo acto de creer en Dios, el Espíritu Santo engendró nueva vida en tu corazón. Eres como un niño nacido en la familia de Dios, y él te ama como a su Hijo.

Ahora bien, ya que te has consagrado al Señor Jesús, no vuelvas atrás, no te separes de él, y repite todos los días: "Soy de Cristo; le pertenezco"; pídele que te dé su Espíritu y que te guarde por su gracia.

Así como consagrándote a Dios y creyendo en él has llegado a ser su hijo, así también debes vivir en él. Dice el apóstol: "De la manera que recibieron a Cristo Jesús como Señor, vivan ahora en él".[9]

Algunos parece que creen que deben estar a prueba y que tienen que demostrar al Señor que se han reformado, antes de poder contar con su bendición. Sin embargo, ahora mismo pueden pedirla a Dios. Es necesario que reciban su gracia, el Espíritu de Cristo, para que los ayude en sus flaquezas; de otra manera no podrían resistir al mal.

Nadie es tan pecador que no pueda hallar fuerza, pureza y justicia en Jesús, quien murió por todos.

El Señor Jesús se complace en que vayamos a él tal como somos: pecadores, desvalidos, necesitados. Podemos ir con toda nuestra debilidad, insensatez y maldad, y caer arrepentidos a sus pies. Él se complace en rodearnos con sus brazos de amor, en vendar nuestras heridas y en limpiarnos de toda impureza.

Son multitud quienes se equivocan en esto: no creen que el Señor Jesús los perdone personal e individualmente. No creen al pie de la letra lo que Dios dice. Es privilegio de todos los que llenan las condiciones saber por sí mismos que el perdón de todo pecado es gratuito. Aleja la sospecha de que las promesas de Dios no son para ti. Son para todo pecador arrepentido. Cristo ha provisto fuerza y gracia para que los ángeles ministradores las comuniquen a toda alma creyente. Nadie es tan pecador que no pueda hallar fuerza, pureza y justicia en Jesús, quien murió por todos. Él está aguardando para quitarnos nuestras vestiduras manchadas y contaminadas de pecado y ponernos los blancos mantos de la justicia. Nos ofrece vida y no muerte.

Dios no nos trata como la gente se trata. Los pensamientos de él son pensamientos de misericordia, de amor y de la más tierna compasión. Él dice: "Que abandone el malvado su camino, y el perverso sus pensamientos. Que se vuelva al Señor, a nuestro Dios, que es generoso para perdonar, y de él recibirá misericordia". "He disipado tus transgresiones como el rocío, y tus pecados como la bruma de la mañana".[10]

"Yo no quiero la muerte de nadie. ¡Conviértanse, y vivirán!".[11] Satanás está listo para quitarnos la bendita seguridad que Dios nos da. Desea privar al alma de toda vislumbre de esperanza y de todo rayo de luz; pero no debemos permitírselo. No prestemos oído al tentador, antes digámosle: "Jesús murió para que yo viva. Me ama y no quiere que perezca. Tengo un Padre celestial muy compasivo; y aunque he abusado de su amor y he dilapidado las bendiciones que me había dado, me levantaré, iré a mi Padre y le diré: "Papá, he pecado contra el cielo y contra ti. Ya no merezco que se me llame tu hijo; trátame como si fuera uno de tus jornaleros". En la parábola vemos cómo será recibido el extraviado: "*Todavía estaba lejos* cuando su padre lo vio y se compadeció de él; salió corriendo a su encuentro, lo abrazó y lo besó".[12]

Pero ni aun esta parábola tan conmovedora alcanza a expresar la compasión de nuestro Padre celestial. El Señor declara por su profeta: "Yo te he amado con amor eterno; *por eso te sigo tratando con bondad*".[13] Mientras el pecador está todavía lejos de la casa de su Padre desperdiciando su hacienda en un país extranjero, el corazón del Padre se compadece de él. Todo anhelo de volver a Dios que se despierte en su alma no es sino una tierna súplica del Espíritu, que insta, ruega y atrae al extraviado al seno amorosísimo de su Padre.

Teniendo tan preciosas promesas bíblicas delante de ti, ¿puedes albergar dudas? ¿Puedes creer que cuando el pobre pecador desea volver y abandonar sus pecados, el Señor le impide con severidad que acuda arrepentido a sus pies?

¡Desecha esos pensamientos! Nada puede perjudicar más a tu propia alma que tener ese concepto de tu Padre celestial. Él aborrece el pecado, pero ama al pecador, pues se dio en la persona de Cristo para que todos los que quieran puedan ser salvos y gozar de eterna bienaventuranza en el reino de gloria. ¿Qué lenguaje más tierno o más poderoso podría haberse empleado para expresar su amor hacia nosotros? Declara: "¿Puede una madre olvidar a su niño de pecho, y dejar de amar al hijo que ha dado a luz? Aun cuando ella lo olvidara, ¡yo no te olvidaré!"[14]

Alcen la vista los que vacilan y tiemblan; porque el Señor Jesús vive para interceder por ellos. Agradezcan a Dios por el don de su Hijo amado, y pidan que no haya muerto en vano por ellos. Su Espíritu te invita hoy. Ve con todo tu corazón a Jesús y pide sus bendiciones.

Cuando leas las promesas, recuerda que son la expresión de un amor y una piedad inefables. El gran Corazón de amor infinito se siente atraído hacia el pecador por una compasión ilimitada. "En él tenemos la redención mediante su sangre, el perdón de nuestros pecados".[15] Sí, cree que Dios es tu ayudador. Él quiere restaurar su imagen moral en cada ser humano. Acércate a él expresándole tu confesión y arrepentimiento, y él se acercará a ti con misericordia y perdón.

Referencias

1. Isaías 55:1
2. Isaías 1:18
3. Ezequiel 36:26
4. S. Mateo 9:6
5. S. Juan 20:31
6. S. Marcos 11:24
7. Romanos 8:1
8. 1 S. Pedro 1:18, 19
9. Colosenses 2:6
10. Isaías 55:7; 44:22
11. Ezequiel 18:32
12. S. Lucas 15:18-20
13. Jeremías 31:3, versión *Dios habla hoy*
14. Isaías 49:15
15. Efesios 1:7

Capítulo 7

Cómo lograr una magnífica renovación

"Por lo tanto, si alguno está en Cristo, es una nueva creación. ¡Lo viejo ha pasado, ha llegado ya lo nuevo!"[1]

Es posible que una persona no sepa indicar el momento y lugar exactos de su conversión, o que no pueda, tal vez, señalar el encadenamiento de circunstancias que la llevaron a ese momento; pero esto no prueba que no se haya convertido. Cristo dijo a Nicodemo: "El viento sopla por donde quiere, y lo oyes silbar, aunque ignoras de dónde viene y a dónde va. Lo mismo pasa con todo el que nace del Espíritu".[2] Como el viento que, aunque es invisible, se ven y sienten claramente sus efectos, así también obra el Espíritu de Dios en el corazón humano. El poder regenerador, que ningún ojo puede ver, engendra una vida nueva en el alma; crea un nuevo ser conforme a la imagen de Dios.

Cuando el corazón ha sido renovado por el Espíritu de Dios, el hecho se revela en la vida.

Aunque la obra del Espíritu es silenciosa e imperceptible, sus efectos son manifiestos. Cuando el corazón ha sido renovado por el Espíritu de Dios, el hecho se revela en la vida. Si bien no podemos hacer cosa alguna para cambiar nuestro corazón, ni para ponernos en armonía con Dios; si bien no hemos de confiar para nada en nosotros mismos ni en nuestras buenas obras, nuestra vida demostrará si la gracia de Dios mora en nosotros. Se notará un cambio en el carácter, en las costumbres y ocupaciones. El contraste entre lo que eran antes y lo que son ahora será bien claro e inequívoco. El carácter se da a conocer, no por las obras buenas o malas que de vez en cuando se ejecuten, sino por la tendencia de las palabras y de los actos habituales en la vida diaria.

Es cierto que puede haber una conducta externa correcta sin el poder renovador de Cristo. El amor a la influencia y el deseo de ser estimado por los demás pueden producir una vida bien ordenada. El respeto propio puede impulsarnos a evitar las apariencias de mal. Un corazón egoísta puede realizar actos de generosidad. ¿De qué medio nos valdremos, entonces, para saber de parte de quién estamos?

¿Quién posee nuestro corazón? ¿Con quién están nuestros pensamientos? ¿De quién nos gusta hablar? ¿Para quién son nuestros más ardientes afectos y nuestras mejores energías? Si somos de Cristo, nuestros pensamientos estarán con él y le dedicaremos nuestras más gratas reflexiones. Le consagraremos todo lo que tenemos y somos. Desearemos ser semejantes a él, tener su Espíritu, hacer su voluntad y agradarle en todo.

El carácter se da a conocer, no por las obras buenas o malas que de vez en cuando se ejecuten, sino por la tendencia de las palabras y de los actos habituales en la vida diaria.

Los que llegan a ser nuevas criaturas en Cristo Jesús producen los frutos de su Espíritu: "Amor, alegría, paz, paciencia, amabilidad, bondad, fidelidad, humildad y dominio propio".[3] Ya no se conforman con los deseos impuros anteriores, sino que por fe siguen las pisadas del Hijo de Dios, reflejan su carácter y se purifican a sí mismos así como él es puro. Aman ahora las cosas que en un tiempo aborrecían, y aborrecen las cosas que en otro tiempo amaban. El que era orgulloso y prepotente es ahora sencillo y humilde de corazón. El que antes era superficial y altanero, es ahora serio y discreto. El que antes era borracho, es ahora sobrio y el que era libertino, puro. Han dejado las costumbres y modas vanas del mundo. Los cristianos no buscan la belleza "externa" sino que "su belleza sea más bien la incorruptible, la que procede de lo íntimo del corazón y consiste en un espíritu suave y apacible".[4]

No hay evidencia de arrepentimiento verdadero cuando no se produce una reforma en la vida.

No hay evidencia de arrepentimiento verdadero cuando no se produce una reforma en la vida. Si restituye la prenda, devuelve lo que haya robado, confiesa sus pecados y ama a Dios y a su prójimo, el pecador puede estar seguro de que pasó de muerte a vida.

Cuando vamos a Cristo como seres descarriados y pecadores, y nos hacemos participantes de su gracia perdonadora, el amor brota en nuestro corazón. Toda carga resulta ligera, porque el yugo de Cristo es suave. Nuestros deberes se vuelven delicias y los sacrificios, un placer. El sendero que antes nos parecía cubierto de tinieblas brilla ahora con los rayos del Sol de justicia.

La hermosura del carácter de Cristo ha de reflejarse en sus seguidores. Él se deleitaba en hacer la voluntad de Dios. El poder que predominaba en la vida de nuestro Salvador era el amor a Dios y el celo por su gloria. El amor embellecía y ennoblecía todas sus acciones. El amor es de Dios; el corazón inconverso no puede producirlo u originarlo. Se encuentra solamente en el corazón donde Cristo reina. "Nosotros amamos a Dios porque él nos amó primero".[5] En el corazón regenerado por la gracia divina, el amor es el móvil de las acciones. Modifica el carácter, gobierna los impulsos, restringe las pasiones, subyuga la enemistad y ennoblece los afectos. Este amor, atesorado en el alma, endulza la vida y derrama una influencia purificadora sobre todos los que están en derredor.

Hay dos errores contra los cuales los hijos de

Dios, particularmente los que apenas han comenzado a confiar en su gracia, tienen que guardarse en forma especial. El primero, en el cual ya se ha insistido, es el de fijarnos en nuestras propias obras, confiando en algo que podamos hacer para ponernos en armonía con Dios. Quien trate de llegar a ser santo mediante sus esfuerzos por guardar la ley, está intentando algo imposible. Todo lo que el ser humano pueda hacer sin Cristo está contaminado de egoísmo y pecado. Solo la gracia de Cristo, por medio de la fe, puede hacernos santos.

El error opuesto, y no menos peligroso, consiste en sostener que la fe en Cristo nos exime de guardar la ley de Dios, y que en vista de que solamente por fe llegamos a ser participantes de la gracia de Cristo, nuestras obras no tienen nada que ver con nuestra redención.

Quien trate de llegar a ser santo mediante sus esfuerzos por guardar la ley, está intentando algo imposible.

Notemos, sin embargo, que la obediencia no es un mero cumplimiento externo, sino un servicio de amor. La ley de Dios es una expresión de la misma naturaleza de su Autor; es la personificación del gran principio del amor, y es, por lo tanto, el fundamento de su gobierno en el cielo y en la tierra. Si nuestros corazones están renovados a la semejanza de Dios, si el amor divino está implantado en el alma, ¿no se cumplirá la ley de Dios en nuestra vida? Cuando el principio del amor es implantado en el corazón, cuando alguien es renovado a la imagen del que lo creó, se cumple en él la promesa del nuevo pacto: "Pondré mis leyes en su corazón, y las escribiré en su mente".[6] Y si la ley está escrita en el corazón, ¿no modelará la vida?

La obediencia, es decir el servicio y la lealtad que se rinden por amor, es la verdadera prueba del discipulado.

La obediencia, es decir el servicio y la lealtad que se rinden por amor, es la verdadera prueba del discipulado. Por eso dice la Escritura: "En esto consiste el amor a Dios: en que obedezcamos sus mandamientos". "El que afirma: 'Lo conozco', pero no obedece sus mandamientos, es un mentiroso y no tiene la verdad".[7] En vez de eximirnos de la obediencia, la fe, y únicamente ella, nos hace participantes de la gracia de Cristo, y nos capacita para obedecer.

No ganamos la salvación con nuestra obediencia; porque la salvación es el don gratuito de Dios, que se recibe por la fe. Pero la obediencia es el fruto de la fe. "Pero ustedes saben que Jesucristo se manifestó para quitar nuestros pecados. Y él no tiene pecado. Todo el que permanece en él, no practica el pecado. Todo el que practica el pecado, no lo ha visto ni lo ha conocido".[8] Esta es la verdadera prueba. Si estamos en Cristo, si el amor de Dios está en nosotros, nuestros sentimientos, nuestros pensamientos, nuestros designios, nuestras acciones, estarán en armonía con la voluntad de Dios, según se expresa en los preceptos de su santa ley. "Queridos hijos, que nadie los engañe. El que practica la justicia es justo, así como él es justo".[9] La justicia se define por la norma de la santa ley de Dios, expresada en los Diez Mandamientos dados en el Sinaí.

La así llamada fe en Cristo que, según algunos dicen, nos exime de la obligación de obedecer a Dios, no es fe, sino presunción. "Porque por gracia ustedes han sido salvados mediante la fe". Pero "la fe por sí sola, si no tiene obras, está muerta".[10] El Señor Jesús dijo de sí mismo antes de venir al mundo: "Me agrada, Dios mío, hacer tu voluntad; tu ley la llevo dentro de mí".[11] Y cuando estaba por ascender de nuevo al cielo, dijo: "He obedecido los mandamientos de mi Padre y permanezco en su amor".[12] La Escritura afirma: "¿Cómo sabemos si hemos llegado a conocer a Dios? Si obedecemos sus mandamientos". "El que afirma que permanece en él, debe vivir como él vivió".[13] "Porque Cristo sufrió por ustedes, dándoles ejemplo para que sigan sus pasos".[14]

La condición para alcanzar la vida eterna es ahora exactamente la misma de siempre, tal cual era en el paraíso antes de la caída de nuestros primeros padres: la perfecta obediencia a la ley de Dios, la perfecta justicia. Si la vida eterna se concediera con alguna condición inferior a esta, peligraría la felicidad de todo el universo. Se le abriría la puerta al pecado con toda su secuela de dolor y miseria para siempre.

Puesto que somos pecadores y malos, no podemos obedecer perfectamente una ley santa.

Antes que Adán cayera le era posible desarrollar un carácter justo por la obediencia a la ley de Dios. Pero no lo hizo, y por causa de su caída tenemos una naturaleza pecaminosa y no podemos hacernos justos a nosotros mismos. Puesto que somos pecadores y malos, no podemos obedecer perfectamente una ley santa. No tenemos justicia propia con que cumplir lo que la ley de Dios exige. Pero Cristo nos preparó una vía de escape. Vivió en esta tierra en medio de pruebas y tentaciones como las que nosotros tenemos que afrontar. Sin embargo, su vida fue impecable. Murió por nosotros, y ahora ofrece quitar nuestros pecados y vestirnos de su justicia. Si te entregas a él y lo aceptas como tu Salvador, por pecaminosa que haya sido tu vida, gracias a él serás contado entre los justos. El carácter de Cristo reemplaza el tuyo, y eres aceptado por Dios como si no hubieras pecado.

Más aún, Cristo cambia el corazón, y habita en el tuyo por la fe. Tienes que mantener esta comunión con Cristo por la fe y la sumisión continua de tu voluntad a él. Mientras lo hagas, él obrará en ti para que quieras y hagas conforme a su beneplácito. Así podrás decir: "Lo que ahora vivo en el cuerpo, lo vivo por la fe en el Hijo de Dios, quien me amó y dio su vida por mí".[15] Así dijo el Señor Jesús a sus discípulos: "Porque no serán ustedes los que hablen, sino que el Espíritu de su Padre hablará por medio de ustedes".[16] De modo que si Cristo obra en ti, manifestarás el mismo espíritu y harás las mismas obras que él: obras de justicia y obediencia.

Así que no hay en nosotros mismos cosa alguna de qué jactarnos. No tenemos motivo para ensalzarnos. El único fundamento de nuestra esperanza es la justicia de Cristo que se nos imputa y la que produce su Espíritu obrando en nosotros y por nosotros.

Cuando hablamos de la fe hemos de tener siempre presente una distinción. Hay una clase de creencia enteramente distinta de la fe. La existencia y el poder de Dios, la verdad de su Palabra, son hechos que aun Satanás y sus huestes no pueden negar en lo más íntimo de su corazón. La Escritura dice que "los demonios creen, y tiemblan",[17] pero esto no es fe. Donde no solo existe una creencia en la Palabra de Dios, sino que la voluntad se somete a él; donde se le entrega el corazón y los afectos se aferran a él, allí hay fe, una fe que obra por el amor y purifica el alma. Mediante esa fe el corazón se renueva conforme a la imagen de Dios. Y el corazón, que en su estado inconverso no se sujetaba a la ley de Dios ni tampoco podía, se deleita después en sus santos preceptos y exclama con el salmista: "¡Cuánto amo yo tu ley! Todo el día medito en ella".[18] Entonces la justicia de la ley se cumple en nosotros, los que no vivimos "según la naturaleza pecaminosa sino según el Espíritu".[19]

Hay personas que han conocido el amor perdonador de Cristo y desean realmente ser hijos de Dios; pero reconocen que su carácter es imperfecto y su vida defectuosa; y tienen la tendencia a dudar en cuanto a si sus corazones han sido o no regenerados por el Espíritu Santo. A esas personas quiero decirles que no cedan a la desesperación. A menudo tenemos que postrarnos y llorar a los pies de Jesús por causa de nuestras culpas y equivocaciones; pero no debemos desanimarnos. Aunque seamos vencidos por el enemigo, no somos desechados ni abandonados por Dios. No; Cristo está a la diestra de Dios, e intercede por nosotros. Dice el discípulo amado: "Les escribo estas cosas para que no pequen. Pero si alguno peca, tenemos ante el Padre a un intercesor, a Jesucristo, el Justo".[20] Y no olvides las palabras de Cristo: "El Padre mismo los ama".[21] Él desea reconciliarte con él, quiere ver su pureza y santidad reflejadas en ti. Y si tan solo estás dispuesto a entregarte a él, quien comenzó en ti la buena obra, la perfeccionará hasta el día de nuestro Señor Jesucristo. Ora con más fer-

Aunque seamos vencidos por el enemigo, no somos desechados ni abandonados por Dios.

vor; cree más implícitamente. Cuando lleguemos a desconfiar de nuestra propia fuerza, confiaremos en el poder de nuestro Redentor y alabaremos a Aquel que es la alegría de nuestra vida.

Cuanto más cerca estés de Jesús, más imperfecto te reconocerás; porque verás con mayor claridad tus defectos en manifiesto y evidente contraste con su perfecta naturaleza. Esta es una señal cierta de que los engaños de Satanás han perdido su poder y de que el Espíritu de Dios te está despertando.

Cuanto más cerca estés de Jesús, más imperfecto te reconocerás; porque verás con mayor claridad tus defectos en manifiesto y evidente contraste con su perfecta naturaleza.

No puede existir amor profundo hacia el Señor Jesús en el corazón que no comprende su propia perversidad. El alma transformada por la gracia de Cristo admirará el divino carácter de él; pero cuando no vemos nuestra propia deformidad moral damos prueba inequívoca de que no hemos vislumbrado la belleza y excelencia de Cristo.

Cuantas menos cosas dignas de estima veamos en nosotros, más encontraremos que apreciar en la pureza y el amor infinitos de nuestro Salvador. La percepción de nuestra pecaminosidad nos impulsará hacia Aquel que puede perdonarnos. Y cuando nos demos cuenta de nuestro desamparo, al asirnos de Cristo, él se nos manifestará con poder. Cuanto más nos impulse hacia él y hacia la Palabra de Dios el sentimiento de nuestra necesidad, tanto más elevada visión tendremos del carácter de nuestro Redentor y con mayor plenitud reflejaremos su imagen.

Referencias

1. 2 Corintios 5:17
2. S. Juan 3:8
3. Gálatas 5:22, 23
4. 1 S. Pedro 3:3, 4
5. 1 S. Juan 4:19
6. Hebreos 10:16
7. 1 S. Juan 5:3; 2:4
8. 1 S. Juan 3:5, 6
9. 1 S. Juan 3:7
10. Efesios 2:8
    Santiago 2:17
11. Salmo 40:8
12. S. Juan 15:10
13. 1 S. Juan 2:3, 6
14. 1 S. Pedro 2:21
15. Gálatas 2:20
16. S. Mateo 10:20
17. Santiago 2:19, versión Reina-Valera 1995
18. Salmo 119:97
19. Romanos 8:4
20. 1 S. Juan 2:1
21. S. Juan 16:27

Capítulo 8

El secreto del crecimiento

En la Escritura se llama nacimiento al cambio de corazón por el cual somos hechos hijos de Dios. También es comparado con la germinación de la buena semilla sembrada por el agricultor. De igual modo se habla de los recién convertidos a Cristo como de "niños recién nacidos", que "crecerán"[1] hasta llegar a la estatura de hombres y mujeres en Cristo Jesús. Como la buena semilla en el campo, tienen que crecer y dar fruto. Isaías dice que serán "llamados robles de justicia, plantío del Señor, para mostrar su gloria".[2] Se sacan así ilustraciones del mundo natural para ayudarnos a entender mejor las misteriosas verdades de la vida espiritual.

Toda la sabiduría e inteligencia de los seres humanos no puede dar vida ni siquiera al objeto más diminuto de la naturaleza. Únicamente por la vida que Dios mismo les ha dado pueden vivir las plantas y los animales. Asimismo es solo mediante la vida de Dios como se engendra la vida espiritual en el corazón de las mujeres y los hombres. Si el ser humano no "nace de nuevo"[3] no puede ser partici-pante de la vida que Cristo vino a darnos.

Lo que sucede con la vida, sucede con el creci-miento. Dios es el que hace florecer el capullo y fructificar las flores. Su poder es el que hace a la si-miente desarrollar "primero el tallo, luego la espi-ga, y después el grano lleno en la espiga".[4] El pro-feta Oseas dice que Israel florecerá "como lirio [...] y crecerán como el trigo. Echarán renuevos, como la vid".[5] Y el Señor Jesús dice: "Fíjense cómo crecen los lirios. No trabajan ni hilan".[6] Las plantas y las flores no crecen por su propio cuidado, ansiedad o esfuerzo, sino porque reciben lo que Dios propor-cionó para favorecer su vida. El niño no puede por su esfuerzo o por su propio poder añadir nada a su estatura. Tampoco tú podrás, haciendo lo mismo, crecer espiritualmente. La planta y el niño crecen al recibir de la atmósfera circundante aquello que mantiene su vida: el aire, el sol y el alimento. Lo que estos dones de la naturaleza son para los animales y las plantas, lo es Cristo para los que en él confían. Él es su "luz eterna", "sol y escudo".[7] Será "para Israel como el rocío". Descenderá "como la lluvia sobre un campo sembrado".[8] Él es el agua viva, "el pan de Dios [...] que baja del cielo y da vida al mundo".[9]

En el don incomparable de su Hijo, Dios rodeó al mundo entero con una atmósfera de gracia tan real como el aire que circula alrededor del globo. Todos lo que decidan respirar esta atmósfera vivificante vivirán y crecerán hasta alcanzar la estatura de hombres y mujeres en Cristo Jesús.

Como la flor se vuelve hacia el sol para que sus brillantes rayos le ayuden a perfeccionar su belleza y simetría, así hemos de volvernos hacia el Sol de justicia, a fin de que la luz celestial brille sobre nosotros y nuestro carácter se transforme a la imagen de Cristo.

El Señor Jesús enseña la misma lección cuando dice: "Permanezcan en mí, y yo permaneceré en ustedes. Así como ninguna rama puede dar fruto por sí misma, sino que tiene que permanecer en la vid, así tampoco ustedes pueden dar fruto si no permanecen en mí. [...] Separados de mí no pueden ustedes hacer nada".[10] Como la rama depende del tronco principal para su crecimiento y fructificación, así también ustedes necesitan el auxilio de Cristo para poder vivir una vida santa. Fuera de él no tienen vida. No hay poder en ustedes para resistir la tentación o para crecer en la gracia o en la santidad. Morando en él, pueden florecer. Si reciben la vida de él, no se marchitarán ni serán estériles. Serán como el árbol plantado junto a arroyos de aguas.

Muchos creen que deben hacer por sí mismos alguna parte de la obra. Confiaron en Cristo para obtener el perdón de sus pecados, pero ahora procuran vivir rectamente por sus propios esfuerzos. Pero todo esfuerzo de ese tipo fracasará. El Señor Jesús dice: "Porque separados de mí no pueden ustedes hacer nada".

Nuestro crecimiento en la gracia, nuestro gozo, nuestra utilidad, todo depende de nuestra unión con Cristo. Solo estando en comunión con él diariamente, y permaneciendo en él en todo momento, es como hemos de crecer en la gracia. Él no es solamente el autor de nuestra fe, sino también su consumador. Ocupa el primer lugar, el último y todos los lugares. Estará con nosotros, no solo al principio y al fin de nuestra carrera, sino en cada paso del camino. David dice: "Siempre tengo presente al Señor; con él a mi derecha, nada me hará caer".[11]

Nuestro crecimiento en la gracia, nuestro gozo, nuestra utilidad, todo depende de nuestra unión con Cristo.

Quizá te preguntes: "¿Cómo permaneceré en Cristo?" Pues, del mismo modo como lo recibiste al principio. "Por eso, de la manera que recibieron a Cristo Jesús como Señor, vivan ahora en él". "Mi justo vivirá por la fe".[12] Te entregaste a Dios para ser completamente suyo, para servirle y obedecerlo, y aceptaste a Cristo como tu Salvador. No podías por ti mismo expiar tus pecados o cambiar tu corazón; pero cuando te entregaste a Dios, fue creyendo que el Señor, por causa de Cristo, hizo todo aquello por ti. Por la fe llegaste a ser de Cristo, y por *la fe* tienes que crecer en él, dando y recibiendo. Tienes que *entregarle* todo: el corazón, la voluntad, la vida; entregarte a él para obedecerlo en todo lo que te pida. Y tienes que *recibirlo* todo: a Cristo, la plenitud de toda bendición, para que more en tu corazón, sea tu fuerza, tu justicia, tu eterno Auxiliador, y te dé poder para obedecer.

Conságrate a Dios todas las mañanas; haz de esto tu primera tarea. Sea tu oración: "Tómame, ¡oh Señor!, como enteramente tuyo. Pongo todos mis planes a tus pies. Úsame hoy en tu servicio. Mora conmigo, y sea toda mi obra hecha en ti". Este es un asunto diario. Cada mañana, conságrate a Dios por ese día. Somete todos tus planes a él, para ponerlos en práctica o abandonarlos, según te lo indique su providencia. Podrás así poner cada día tu vida en las manos de Dios, y ella será cada vez más semejante a la de Cristo.

Conságrate a Dios todas las mañanas; haz de esto tu primera tarea. Sea tu oración: "Tómame ¡oh Señor! como enteramente tuyo. Pongo todos mis planes a tus pies. Úsame hoy en tu servicio. Mora conmigo, y sea toda mi obra hecha en ti".

La vida en Cristo es una vida de plena confianza. Tal vez no se experimente una sensación de éxtasis, pero tiene que haber una confianza continua y apacible. Tu esperanza no se cifra en ti mismo, sino en Cristo. Tu debilidad está unida a su fuerza, tu ignorancia a su sabiduría, tu fragilidad a su eterno poder. Así que no has de mirarte a ti mismo ni depender de ti, sino mirar a Cristo. Piensa en su amor, en la belleza y perfección de su carácter. Cristo en su abnegación, Cristo en su humillación, Cristo en su pureza y santidad, Cristo en su incomparable amor: este es el tema que debe contemplar el alma. Amándolo, imitándolo, dependiendo enteramente de él, es como serás transformado a su semejanza.

El Señor dice: "Permanezcan en mí". Estas palabras expresan una idea de sosiego, estabilidad, confianza. También nos invita: "Vengan a mí [...] y yo les daré descanso".[13] Las palabras del salmista hacen resaltar el mismo pensamiento: "Guarda silencio ante el Señor, y espera en él con paciencia". E Isaías asegura que "en la serenidad y la confianza está su fuerza".[14] Este descanso no se obtiene en la inactividad; porque en la invitación del Salvador la promesa de descanso va unida con un llamamiento a trabajar: "Carguen con mi yugo y aprendan de mí [...] y encontrarán descanso".[15] El corazón que más plenamente descansa en Cristo es el más ardiente y activo en el trabajo para él.

Cuando pensamos mucho en nosotros mismos,

nos alejamos de Cristo, la fuente de la fortaleza y la vida. Por eso Satanás se esfuerza constantemente por mantener nuestra atención apartada del Salvador, con el propósito de impedir la unión y comunión del alma con Cristo. Valiéndose de los placeres del mundo, los trabajos, perplejidades y tristezas de la vida, así como de nuestras propias faltas e imperfecciones, o de las ajenas; procura desviar nuestra atención hacia todas estas cosas, o hacia algunas de ellas. No nos dejemos engañar por sus maquinaciones. Con demasiada frecuencia logra que muchos, realmente concienzudos y deseosos de vivir para Dios, se concentren en sus propios defectos y debilidades. Al separarlos así de Cristo, espera obtener la victoria. No debemos hacer de nuestro yo el centro de nuestros pensamientos, ni alimentar ansiedad ni temor acerca de si seremos salvos o no. Todo esto desvía el alma de la Fuente de nuestra fortaleza. Encomendemos a Dios el cuidado de nuestra alma, y confiemos en él. Hablemos del Señor Jesús y pensemos en él. Piérdase en él nuestra personalidad. Desterremos

El corazón que más plenamente descansa en Cristo es el más ardiente y activo en el trabajo para él.

toda duda; disipemos nuestros temores. Digamos con el apóstol Pablo: "He sido crucificado con Cristo, y ya no vivo yo sino que Cristo vive en mí. Lo que ahora vivo en el cuerpo, lo vivo por la fe en el Hijo de Dios, quien me amó y dio su vida por mí".[16] Reposemos en Dios. Él puede cuidar lo que le hemos confiado. Si nos ponemos en sus manos, nos hará más que vencedores por medio de Aquel que nos amó.

Cuando Cristo se hizo humano, vinculó la humanidad consigo mediante un lazo que ningún poder es capaz de romper, salvo la decisión de cada ser humano. Satanás nos presentará de continuo seducciones para persuadirnos a que rompamos ese lazo, a que decidamos separarnos de Cristo. Es necesario que velemos, luchemos y oremos, para que nada pueda inducirnos a *elegir* otro maestro; ya que siempre tenemos la posibilidad de hacerlo. Mantengamos por lo tanto los ojos fijos en Cristo, y él nos preservará. Confiando en Jesús, estamos seguros. Nada

No debemos hacer de nuestro yo el centro de nuestros pensamientos, ni alimentar ansiedad ni temor acerca de si seremos salvos o no.

puede arrebatarnos de su mano. Si lo contemplamos constantemente, "somos transformados a su semejanza con más y más gloria por la acción del Señor, que es el Espíritu".[17]

Así fue como los primeros discípulos llegaron a asemejarse a su amado Salvador. Cuando aquellos discípulos oyeron las palabras de Jesús, sintieron su necesidad de él. Lo buscaron, lo encontraron y lo siguieron. Estaban con él en la casa, en la mesa, en los lugares apartados, en el campo. Lo acompañaban según la costumbre de que los discípulos siguieran a su maestro, y diariamente recibían de sus labios lecciones de santa verdad. Lo miraban como los siervos a su señor, para aprender cuáles eran sus deberes. Aquellos discípulos eran hombres con "debilidades como las nuestras".[18] Debían librar la misma batalla contra el pecado. Necesitaban la misma gracia para poder vivir una vida santa.

Incluso Juan, el discípulo amado, el que más plenamente llegó a reflejar la imagen del Salvador, no poseía por naturaleza esa belleza de carácter. No solo hacía valer sus derechos y ambicionaba honores, sino que era impetuoso y se resentía bajo las injurias. Sin embargo, cuando le fue revelado el carácter divino de Cristo, vio su propia deficiencia y este conocimiento le hizo ser más humilde. La fortaleza y la paciencia, el poder y la ternura, la majestad y la mansedumbre que vio en la vida diaria del Hijo de Dios, llenaron su alma de admiración y amor. De día en día su corazón era atraído hacia Cristo, hasta que en su amor por su Maestro perdió de vista su propio yo. Su genio rencoroso y ambicioso cedió al poder transformador de Cristo. La influencia regeneradora del Espíritu Santo renovó su corazón. El poder del amor de Cristo transformó su carácter. Tal es el seguro resultado de la unión con Jesús. Cuando Cristo mora en el corazón, toda nuestra naturaleza se transforma. El Espíritu de Cristo y su amor enternecen el corazón, subyugan el alma y elevan los pensamientos y deseos a Dios y al cielo.

Cuando Cristo mora en el corazón, toda nuestra naturaleza se transforma.

Cuando Cristo ascendió al cielo, la sensación de su presencia permaneció con sus seguidores. Era una presencia personal, impregnada de amor y luz. Jesús, el Salvador que había caminado, conversado y orado con ellos, que había dirigido a sus corazones palabras de esperanza y consuelo, había sido llevado de su lado al cielo mientras les comunicaba un mensaje de paz. Y cuando los ecos de su voz les llegaban todavía —"Les aseguro que estaré con ustedes siempre, hasta el fin del mundo"[19]—, una nube de ángeles lo recibió. Había ascendido en forma humana, y ellos sabían que se hallaba delante del trono de Dios como Amigo y Salvador suyo, que sus simpatías no habían cambiado y que seguía identificado con la humanidad doliente. Estaba presentando delante de Dios los méritos de su sangre preciosa, y mostrándole sus manos y sus pies traspasados para recordar el precio que había pagado por sus redimidos. Sabían asimismo que había ascendido al cielo para prepararles lugar y que volvería para llevarlos consigo.

Cuando se reunieron después de la ascensión, estaban ansiosos de presentar sus peticiones al Padre en el nombre de Jesús. Con solemne reverencia se postraron en oración repitiendo la promesa: "Les aseguro que mi Padre les dará todo lo que le pidan en mi nombre. Hasta ahora no han pedido nada en mi nombre. Pidan y recibirán, para que su alegría sea completa".[20] Extendieron cada vez más alto la mano de la fe presentando este poderoso argumento: "Cristo Jesús es el que murió, e incluso resucitó, y está a la derecha de Dios e intercede por nosotros".[21]

El día de Pentecostés les trajo la presencia del Consolador, de quien Cristo había dicho: "Estará en ustedes". Les había dicho además: "Les conviene que me vaya porque, si no lo hago, el Consolador no vendrá a ustedes; en cambio, si me voy, se lo enviaré a ustedes".[22] Y desde aquel día, mediante el Espíritu, Cristo iba a morar continuamente en el corazón de sus hijos. La unión con sus discípulos sería más estrecha que cuando estaba personalmente con ellos. La luz, el amor y el poder de la presencia de Cristo resplandecían de tal manera por medio de ellos que las gentes, al mirarlos, "quedaron asombrados y reconocieron que habían estado con Jesús".[23]

Todo lo que Cristo fue para sus primeros discípulos desea serlo para sus hijos hoy. En su última oración, que elevó estando junto al pequeño grupo reunido en derredor suyo, dijo: "No ruego solo por estos. Ruego también por los que han de creer en mí por el mensaje de ellos".[24] Oró por nosotros y pidió que fuéramos uno con él, como él es uno con el Padre. ¡Qué maravillosa unión! El Salvador había dicho de sí mismo: "Ciertamente les aseguro que el Hijo no puede hacer nada por su propia cuenta", "es el Padre, que está en mí, el que realiza sus obras".[25] Si Cristo está en nuestro corazón, obrará en nosotros "el querer como el hacer para que se cumpla su buena voluntad".[26] Obraremos como él obró; manifestaremos el mismo espíritu. Amándolo y morando en él, "creceremos hasta ser en todo como aquel que es la cabeza, es decir, Cristo".[27]

Referencias

1. 1 S. Pedro 2:2; *cf.* Efesios 4:15
2. Isaías 61:3
3. S. Juan 3:3
4. S. Marcos 4:28
5. Oseas 14:5-7
6. S. Lucas 12:27
7. Isaías 60:19; Salmo 84:11
8. Oseas 14:5; Salmo 72:6
9. S. Juan 6:33
10. S. Juan 15:4, 5
11. Salmo 16:8
12. Colosenses 2:6; Hebreos 10:38
13. S. Mateo 11:28
14. Salmo 37:7; Isaías 30:15
15. S. Mateo 11:29
16. Gálatas 2:20
17. 2 Corintios 3:18
18. Santiago 5:17
19. S. Mateo 28:20
20. S. Juan 16:23, 24
21. Romanos 8:34
22. S. Juan 14:17; 16:7
23. Hechos 4:13
24. S. Juan 17:20
25. S. Juan 5:19; 14:10
26. Filipenses 2:13
27. Efesios 4:15.

Capítulo 9

El gozo de la colaboración

Dios es la fuente de vida, luz y gozo para el universo. Como los rayos de la luz del sol, como las corrientes de agua que brotan de un manantial vivo, las bendiciones descienden de él a todas sus criaturas. Y dondequiera que la vida de Dios esté en el corazón de los seres humanos, inundará a otros de amor y bendición.

El gozo de nuestro Salvador se cifraba en levantar y redimir a los hombres y las mujeres caídos. Para lograr este fin no consideró su vida como algo valioso, sino que sufrió la cruz y menospreció la ignominia. Así también los ángeles se dedican siempre a trabajar en pro de la felicidad de otros. Esto constituye su gozo. Aquello que los corazones egoístas considerarían ocupación degradante: servir a los desafortunados y en todo sentido inferiores a ellos mismos en carácter y jerarquía, es la obra de los ángeles exentos de pecado. El espíritu de amor y abnegación que manifiesta Cristo es el espíritu que llena los cielos, y es la misma esencia de su gloria. Es el espíritu que poseerán los discípulos de Cristo, la obra que harán.

Cuando atesoramos el amor de Cristo en el corazón, así como una dulce fragancia no puede ocultarse, su santa influencia la percibirá la gente con quien nos relacionemos. El espíritu de Cristo en el corazón es como un manantial en un desierto, que se derrama para refrescarlo todo, y despertar en los que ya están por perecer ansias de beber el agua de la vida.

El amor al Señor Jesús se manifestará por el deseo de trabajar como él trabajó, para beneficiar y elevar a la humanidad. Inspirará amor, ternura y compasión por todas las criaturas que gozan del cuidado de nuestro Padre celestial.

La vida terrenal del Salvador no fue una vida de comodidad y dedicación a sí mismo, sino que trabajó con esfuerzo persistente, fervoroso e infatigable por la salvación de la perdida humanidad. Desde el pesebre hasta el Calvario siguió la senda de la abnegación y no procuró librarse de tareas arduas y duros viajes, ni de trabajos y preocupaciones agotadores. Dijo: "El Hijo del hombre no vino para que le sirvan, sino para servir y para dar su vida en rescate por muchos".[1] Este fue el gran objeto de su vida. Todo lo demás lo consideraba secundario y accesorio. Hacer la voluntad de Dios y acabar su obra fue más importante para él que el comer y el beber. El amor propio y el egoísmo no tuvieron nada que ver en su obra.

Así también los que son partícipes de la gracia de Cristo estarán dispuestos a hacer cualquier sacrificio para que todos aquellos por quienes él murió compartan el don celestial. Harán cuanto puedan para hacer del mundo un lugar mejor para vivir. Este espíritu es el fruto seguro del alma verdaderamente convertida. Tan pronto como uno acude a Cristo nace en el corazón un vivo deseo de dar a conocer a los demás cuán precioso amigo encontró en el Señor Jesús. La verdad salvadora y santificadora no puede permanecer encerrada en el corazón. Si estamos revestidos de la justicia de Cristo y rebosamos de gozo por la presencia de su Espíritu, no podremos guardar silencio. Si hemos probado y visto que el Señor es bueno, tendremos algo que decir a otros. Como Felipe cuando encontró al Salvador, invitaremos a otros a que vayan a él. Procuraremos presentarles los atractivos de Cristo y las realidades invisibles del mundo venidero. Anhelaremos seguir en la senda que Jesús recorrió y desearemos que quienes nos rodean puedan ver al "Cordero de Dios, que quita el pecado del mundo".[2]

Tan pronto como uno acude a Cristo nace en el corazón un vivo deseo de dar a conocer a los demás cuán precioso amigo encontró en el Señor Jesús.

El esfuerzo por hacer bien a otros se tornará en bendiciones para nosotros mismos. Tal era el propósito de Dios al darnos una parte que hacer en el plan de redención. Él concedió a los seres humanos el privilegio de ser hechos participantes de la naturaleza divina y de difundir a su vez bendiciones para sus prójimos. Este es el honor más alto y el gozo mayor que Dios puede conferir a los seres humanos. Los que participan en labores de amor por sus prójimos son los que más se acercan a su Creador.

Dios podría haber encomendado a los ángeles del cielo el mensaje del evangelio y toda la obra del servicio por amor a los demás. Podría haber empleado otros medios para llevar a cabo su propósito. Pero en su amor infinito quiso hacernos colaboradores suyos, con Cristo y con los ángeles, para que compartiéramos la bendición, el gozo y la elevación espiritual que resultan del servicio abnegado.

Somos motivados a comprender mejor a Cristo mediante la comunión con sus padecimientos. Cada acto de sacrificio personal en favor de los demás robustece el espíritu de benevolencia en el corazón del dador; lo unirá más estrechamente con el Redentor del mundo, que "aunque era rico, por causa de ustedes se hizo pobre, para que mediante su pobreza ustedes llegaran a ser ricos".[3] Y únicamente mientras cumplimos así el plan que Dios tenía al crearnos, podrá la vida ser una bendición para nosotros.

Si trabajásemos como Cristo tenía el propósito que sus discípulos trabajaran y ganaran almas para él, sentiríamos la necesidad de una experiencia más profunda y de un conocimiento más amplio de las cosas divinas, y tendríamos hambre y sed de justicia. Suplicaríamos a Dios y nuestra fe se fortalecería; nuestra alma bebería en abundancia de la fuente de salvación. La oposición y las pruebas nos llevarían a leer las Escrituras y a orar. Creceríamos en la gracia y en el conocimiento de Cristo y adquiriríamos una rica experiencia.

El trabajo desinteresado por otros da al carácter profundidad, firmeza y una afabilidad como la de Cristo; y trae paz y gozo a su poseedor. Las aspiraciones se elevan. No hay lugar para la pereza ni el egoísmo. Los que así ejerciten las gracias cristianas, crecerán y se fortalecerán para trabajar por Dios. Tendrán claras percepciones espirituales, una fe firme y creciente y aumentará su poder en la oración. El Espíritu de Dios, que mueve el espíritu de ellos, pone en juego las sagradas armonías del alma, en respuesta al toque divino. Quienes así se consagran a un esfuerzo desinteresado por el bien de los demás, están contribuyendo ciertamente a su propia salvación.

El único modo de crecer en la gracia consiste en hacer desinteresadamente la obra que Cristo nos encomendó: dedicarnos, en la medida de nuestra capacidad, a auxiliar y beneficiar a los que necesitan la ayuda que podamos darles. La fuerza se desarrolla con el ejercicio; la actividad es la condición misma de la vida. Los que se esfuerzan por mantener su vida cristiana aceptando pasivamente las bendiciones comunicadas por los medios de gracia, sin hacer nada por Cristo, en realidad lo que pretenden es comer sin tener que trabajar. Pero el resultado de esto, tanto en el mundo espiritual como en el temporal, es siempre degradación y decadencia. La persona que se negara a ejercitar sus miembros no tardaría en perder la facultad de usarlos. Asimismo, el cristiano que no ejercite las facultades que Dios le dio, no solo dejará de crecer en Cristo sino que perderá la fuerza que tenía.

La iglesia de Cristo es la intermediaria elegida por Dios para salvar a los seres humanos. Su misión es llevar el evangelio al mundo.

La iglesia de Cristo es la intermediaria elegida por Dios para salvar a los seres humanos. Su misión es llevar el evangelio al mundo. Esta obligación recae sobre todos los cristianos. Cada uno de nosotros, hasta donde lo permitan sus talentos y oportunidades, tiene que cumplir el mandato del Salvador. El amor de Cristo que Dios nos ha revelado nos hace deudores de cuantos no lo conocen. Dios nos dio luz, no solo para nosotros, sino para que la derramemos sobre ellos.

Si los discípulos de Cristo comprendieran su deber, habría mil heraldos proclamando el evangelio a los paganos donde ahora hay uno. Y todos los que no pudieran dedicarse personalmente a la obra, la sostendrían con sus recursos, su solidaridad y sus oraciones. Y se trabajaría con más ardor en favor de las almas en los países cristianos.

No necesitamos ir a tierras de paganos, ni siquiera dejar el reducido círculo del hogar, si es allí donde está nuestro deber, a fin de trabajar por Cristo. Podemos hacerlo en el seno del hogar, en la iglesia, entre aquellos con quienes nos asociamos y nos relacionamos.

Nuestro Salvador pasó la mayor parte de su vida terrenal trabajando pacientemente en la carpintería de Nazaret. Los ángeles ministradores acompañaban al Señor de la vida mientras caminaba con campesinos y trabajadores, desconocido y sin honores. Estaba cumpliendo su misión tan fielmente, mientras trabajaba en su humilde oficio, como cuando sanaba a los enfermos y andaba sobre las olas tempestuosas del mar de Galilea. Así también nosotros, en los deberes más humildes y en las posiciones más bajas de la vida, podemos andar y trabajar con Jesús.

El apóstol dice: "Hermanos, cada uno permanezca ante Dios en la condición en que estaba cuando Dios lo llamó".[4] El hombre de negocios puede dirigir sus asuntos de un modo que por su fidelidad glorifique a su Maestro. Si es verdadero discípulo de Cristo, pondrá en práctica su religión en todo lo que haga y revelará ante los demás el espíritu de Cristo. El obrero manual puede ser un diligente y fiel representante de Aquel que se ocupó en los trabajos humildes de la vida entre las colinas de Galilea. Todo aquel que lleva el nombre de Cristo debe obrar de tal modo que otros, viendo sus buenas obras, sean inducidos a glorificar a su Creador y Redentor.

Todo aquel que lleva el nombre de Cristo debe obrar de tal modo que otros, viendo sus buenas obras, sean inducidos a glorificar a su Creador y Redentor.

Muchos se niegan a poner sus talentos al servicio

de Cristo porque a otros les han sido concedidos mayores dones y ventajas. Ha prevalecido la opinión de que únicamente quienes están especialmente dotados deben consagrar sus talentos al servicio de Dios. Muchos han llegado a la conclusión de que únicamente cierta clase favorecida recibe talentos, excluyendo a los demás que, por supuesto, no son llamados a participar de las luchas ni de la recompensa. Pero no es esta la enseñanza de la parábola. Cuando el señor de la casa llamó a sus siervos, dio a cada uno *su* tarea.

Con espíritu de amor podemos ejecutar los deberes más humildes de la vida "como para el Señor".[5] Cuando tenemos el amor de Dios en el corazón, eso se pondrá de manifiesto en nuestra vida. El suave perfume de Cristo nos rodeará y nuestra influencia elevará y beneficiará a otros.

No debes esperar mejores oportunidades o una capacitación extraordinaria para empezar a trabajar por Dios. No te preocupes de lo que diga o piense la gente acerca de ti. Si tu vida diaria es un testimonio de la pureza y sinceridad de tu fe, y los demás están convencidos de que tú deseas hacerles bien, tus esfuerzos no se perderán completamente.

Los más humildes y más pobres de los discípulos de Jesús pueden ser una bendición para los demás. Tal vez no crean que están haciendo algún bien especial, pero por su influencia inconsciente pueden desencadenar olas de bendición que se extenderán y profundizarán, cuyos benditos resultados ellos mismos no los conocerán hasta el día de la recompensa final. No les parece que estén haciendo algo grande. No deben llenarse de ansiedad por el éxito. Basta que sigan adelante quedamente, haciendo fielmente la obra que la providencia de Dios les asigne, y no habrán vivido en vano. Sus propias almas reflejarán cada vez mejor la semejanza de Cristo. Son colaboradores de Dios en esta vida, y se están preparando para la obra más elevada y el gozo sin sombras de la vida venidera.

Referencias

1. S. Mateo 20:28
2. S. Juan 1:29
3. 2 Corintios 8:9
4. 1 Corintios 7:24
5. Colosenses 3:23

Capítulo 10

Los dos lenguajes de la Providencia

Son muchas las maneras en que Dios procura dársenos a conocer y ponernos en comunión con él. La naturaleza habla sin cesar a nuestros sentidos. El corazón que esté preparado quedará impresionado por el amor y la gloria de Dios según lo revelan las obras de sus manos. El oído atento puede escuchar y entender las comunicaciones de Dios por medio de la naturaleza. Los verdes campos, los elevados árboles, los capullos y las flores, la nubecilla que pasa, la lluvia que cae, el arroyo que murmura, las glorias del cielo, hablan a nuestro corazón y nos invitan a conocer a Aquel que lo hizo todo.

Nuestro Salvador entrelazó sus valiosas lecciones con las obras de la naturaleza. Los árboles, los pájaros, las flores de los valles, las colinas, los lagos y los hermosos cielos, así como los incidentes y las circunstancias de la vida diaria, fueron todos ligados a las palabras de verdad, para que así sus lecciones fuesen traídas a menudo a la memoria, aun en medio de las luchas de la agitada vida de los seres humanos.

Dios quiere que sus hijos aprecien sus obras y se deleiten en la sencilla y tranquila hermosura con que adornó nuestra morada terrenal. Él es amante de lo bello, y sobre todo aprecia la belleza del carácter, que es más atractiva que todo lo externo, y quiere que cultivemos la pureza y la sencillez, gracias características de las flores.

Si estamos dispuestos a prestar atención, las obras que Dios creó nos enseñarán valiosas lecciones de obediencia y confianza. Desde las estrellas que en su carrera sin huella por el espacio siguen de siglo en siglo los derroteros que les asignó, hasta el átomo más diminuto; todo en la naturaleza obedece a la voluntad del Creador. Y Dios cuida y sostiene todo lo que creó. El que sustenta los innumerables mundos diseminados por la inmensidad, también tiene cuidado del gorrioncillo que entona sin temor su humilde canto. Cuando los hombres y las mujeres van a su trabajo, o están orando; cuando se acuestan por la noche o se levantan por la mañana; cuando el rico se sacia en su mansión, o cuando el pobre reúne a sus hijos alrededor de su escasa mesa, el Padre celestial vigila tiernamente a todos. No se derraman lágrimas sin que él lo note. No hay sonrisa que para él pase inadvertida.

Si creyéramos implícitamente esto, desecharíamos toda ansiedad indebida. Nuestras vidas no estarían tan llenas de desengaños como ahora; porque cada cosa, grande o pequeña, se dejaría en las manos de Dios, quien no se confunde por la multiplicidad de las preocupaciones, ni se abruma por su peso. Entonces nuestra alma gozaría de un sosiego que muchos desconocen desde hace largo tiempo.

Cuando tus sentidos se deleiten en la amena belleza de la tierra, piensa en el mundo venidero, que nunca conocerá mancha de pecado ni de muerte; donde la faz de la naturaleza no llevará más la sombra de la maldición.

Permite que tu mente vislumbre la morada de los redimidos; y recuerda que será más gloriosa que cuanto pueda figurarse la más brillante imaginación. En los variados dones de Dios en la naturaleza no vemos sino el reflejo más pálido de su gloria. Está escrito: "Ningún ojo ha visto, ningún oído ha escuchado, ninguna mente humana ha concebido lo que Dios ha preparado para quienes lo aman".[1]

El poeta y el naturalista tienen mucho que decir acerca de la naturaleza; pero es el creyente quien más goza de la belleza de la tierra, porque reconoce la obra de las manos de su Padre y percibe su amor en la flor, el arbusto y el árbol. Quien no los mire como una expresión del amor de Dios por el ser humano no podrá apreciar plenamente la significación de la colina, del valle, del río y del mar.

Dios nos habla mediante sus obras providenciales y la influencia de su Espíritu Santo en el corazón. En las circunstancias y el ambiente que nos rodea, en los cambios que suceden diariamente en torno nuestro, podemos encontrar valiosas lecciones, si nuestros corazones están abiertos para recibirlas. El salmista, rastreando la obra de la Providencia divina, dice: "Llena está la tierra de su amor".[2] "Quien sea sabio, que considere estas cosas y entienda bien el gran amor del Señor".[3]

Dios nos habla también en su Palabra. En ella tenemos, de modo más claro, la revelación de su carácter, de su trato con las mujeres y los hombres, y de la gran obra de la redención. En ella se nos presenta la historia de los patriarcas, los profetas y otros santos hombres de la antigüedad. Ellos estaban sujetos a "debilidades como las nuestras".[4] Vemos cómo lucharon con el desaliento como nosotros, cómo cayeron bajo tentaciones como hemos caído nosotros, y sin embargo cobraron nuevo ánimo y vencieron por la gracia de Dios. Recordándolos, nos animaremos en nuestra lucha por la justicia. Al leer el relato de los maravillosos acontecimientos que se les permitió vivir, la luz, el amor y la bendición que les tocó gozar y la obra que hicieron por la gracia que se les concedió; el espíritu que los inspiró enciende en nosotros un fuego de santo celo, un deseo de ser como ellos en carácter y de andar con Dios como ellos.

El Señor Jesús dijo de las Escrituras del Antiguo Testamento, y cuánto más cierto es esto acerca del Nuevo: "¡Son ellas las que dan testimonio en mi favor!",[5] el Redentor, Aquel en quien se concentran nuestras esperanzas de la vida eterna. Sí, la Biblia entera nos habla de Cristo. Desde el primer relato de la creación, de la cual se dice: "Sin él, nada de lo creado llegó a existir",[6] hasta la última promesa: "¡Vengo pronto!",[7] leemos acerca de sus obras y escuchamos su voz. Si deseas conocer al Salvador, estudia las Sagradas Escrituras.

Llena tu corazón con las palabras de Dios. Son el agua viva que apaga la sed del alma. Son el pan vivo que descendió del cielo. Jesús declara: "Si no comen la carne del Hijo del hombre ni beben su sangre, no tienen realmente vida". Y al explicarse, dice: "Las palabras que les he hablado son espíritu y son vida".[8] Nuestro cuerpo subsiste de lo que comemos y bebemos; y lo que sucede en la vida natural sucede en la espiritual: lo que meditamos es lo que da tono y vigor a nuestra naturaleza espiritual.

El plan de la redención es un tema que los ángeles desean escudriñar; será la ciencia y el canto de los redimidos durante las interminables edades de la eternidad. ¿No debiera ser un tema digno de atención y estudio ahora? La infinita misericordia y el amor de Jesús, el sacrificio hecho en nuestro favor, demandan de nosotros la más seria y solemne reflexión. Tenemos que espaciarnos en el carácter de nuestro querido Redentor e Intercesor. Es necesario que meditemos en la misión de Aquel que vino a salvar a su pueblo de sus pecados. Cuando contemplemos así los asuntos celestiales, nuestra fe y amor serán más intensos y nuestras oraciones más aceptables a Dios, porque se elevarán acompañadas de más fe y amor. Serán inteligentes y fervorosas. Habrá una confianza constante en Jesús y una experiencia viva y diaria en su poder de salvar completamente a todos los que se acercan a Dios por medio de él.

Cuanto más concentremos nuestros pensamientos en Cristo, más hablaremos de él a otros y mejor lo representaremos ante el mundo.

Mientras meditemos en la perfección del Salvador desearemos ser enteramente transformados y renovados conforme a la imagen de su pureza. Nuestra alma tendrá hambre y sed de llegar a ser como Aquel a quien adoramos. Cuanto más concentremos nuestros pensamientos en Cristo, más hablaremos de él a otros y mejor lo representaremos ante el mundo.

La Biblia no fue escrita solamente para los intelectuales; al contrario, fue destinada a la gente común. Las grandes verdades necesarias para la salvación están presentadas con tanta claridad como la luz del mediodía; y nadie se equivocará o perderá el camino, salvo quienes sigan su criterio personal en vez de la voluntad divina tan claramente revelada.

No hemos de conformarnos con el testimonio de nadie en cuanto a lo que enseñan las Sagradas Escrituras, sino que hemos de estudiar las palabras de Dios por nosotros mismos. Si dejamos que otros piensen por nosotros, nuestra energía quedará mutilada y limitadas nuestras aptitudes. Las nobles facultades del alma pueden reducirse tanto por no ejercitarse en temas dignos de su concentración, que lleguen a ser incapaces de penetrar la profunda significación de la Palabra de Dios. La inteligencia se desarrolla si se emplea en investigar la relación de los temas de la Biblia, comparando escritura con escritura y lo espiritual con lo espiritual.

No hay nada mejor para fortalecer la inteligencia que el estudio de las Escrituras. Ningún otro libro es tan potente para elevar los pensamientos, para dar vigor a las facultades, como las grandes y ennoblecedoras verdades de la Biblia. Si se estudiara la Palabra de Dios como es debido, los hombres y las mujeres tendrían una grandeza de espíritu, una nobleza de carácter y una firmeza de propósitos que raramente pueden verse en estos tiempos.

Solo se obtiene un beneficio muy escaso de una lectura precipitada de las Sagradas Escrituras. Uno puede leer toda la Biblia y quedarse, sin embargo, sin ver su belleza o comprender su sentido profundo y oculto. Un pasaje estudiado hasta que su significado nos parezca claro, y evidentes sus relaciones con el plan de salvación, resulta de mucho más valor que la lectura de muchos capítulos sin un propósito determinado y sin obtener una instrucción positiva. Ten tu Biblia a mano. Léela cuando tengas oportunidad; fija los textos en tu memoria. Incluso al ir por la calle puedes leer un pasaje y meditar en él hasta que se te grabe en la mente.

No podemos obtener sabiduría sin una atención cuidadosa y un estudio con oración. Algunas porciones de la Escritura son en verdad demasiado claras para que se puedan entender mal; pero hay otras cuyo significado no es inmediato, y no se discierne a primera vista. Se tiene que comparar un pasaje con otro. Es necesario un escudriñamiento cuidadoso y una reflexión acompañada de oración. Estudiar la Biblia así, será abundantemente recompensado.

Como el minero descubre vetas de precioso metal ocultas debajo de la superficie de la tierra; así también, quien con perseverancia escudriñe la Palabra de Dios en busca de sus tesoros escondidos, encontrará verdades del mayor valor ocultas de la vista del investigador superficial. Las palabras de la inspiración, atesoradas en el corazón, serán como corrientes de agua que mana de la Fuente de la vida.

Nunca se debe estudiar la Biblia sin oración. Antes de abrir sus páginas tenemos que pedir la iluminación del Espíritu Santo, y nos será concedida. Cuando Natanael fue al Señor Jesús, el Salvador exclamó: "'Aquí tienen a un verdadero israelita, en quien no hay falsedad'. '¿De dónde me conoces?' le preguntó Natanael. 'Antes de que Felipe te llamara, cuando aún estabas bajo la higuera, ya te había visto'".[9] Así también nos verá el Señor Jesús en los lugares secretos de oración, si lo buscamos para que nos dé luz y nos permita saber lo que es la verdad. Los ángeles del mundo de luz acompañarán a los que busquen con humildad de corazón la dirección divina.

El Espíritu Santo exalta y glorifica al Salvador. Está encargado de presentar a Cristo, la pureza de su justicia y la gran salvación que obtenemos por él. El Señor Jesús dijo: El Espíritu "tomará de lo mío y se lo dará a conocer a ustedes".[10] El Espíritu de verdad es el único maestro eficaz de la verdad divina. ¡Cuánto no estimará Dios a la raza humana, que dio a su Hijo para que muriese por ella, y comisiona a su Espíritu para que sea de continuo nuestro maestro y guía!

Referencias

1. 1 Corintios 2:9
2. Salmo 33:5
3. Salmo 107:43
4. Santiago 5:17
5. S. Juan 5:39
6. S. Juan 1:3
7. Apocalipsis 22:12
8. S. Juan 6:53, 63
9. S. Juan 1:47, 48
10. S. Juan 16:14

¿Podemos comunicarnos con Dios?

Dios nos habla por medio la naturaleza y por la revelación, por su providencia y por la influencia de su Espíritu. Pero esto no basta; necesitamos abrirle nuestro corazón. A fin de tener vida y energía espirituales hemos de tener una relación íntima con nuestro Padre celestial. Nuestra mente puede ser atraída hacia él; podemos meditar en sus obras, sus misericordias, sus bendiciones; pero esto no es, en el pleno sentido de la palabra, estar en comunicación con él. Para ponernos en comunión con Dios hemos de tener algo que decirle con respecto a nuestra vida presente.

Orar es el acto de abrir nuestro corazón a Dios como a un amigo. No es que se necesite esto para darle a conocer a Dios lo que somos, sino a fin de capacitarnos para recibirlo. La oración no baja a Dios hacia nosotros, sino que nos eleva hacia él.

Orar es el acto de abrir nuestro corazón a Dios como a un amigo.

Cuando Jesús estuvo sobre la tierra, enseñó a sus discípulos a orar. Les enseñó a presentar a Dios sus necesidades diarias y a confiarle todas sus preocupaciones. Y la seguridad que les dio de que sus oraciones serían escuchadas se nos da a nosotros también.

El Señor Jesús mismo, cuando habitó entre los seres humanos, oraba frecuentemente. Nuestro Salvador se identificó con nuestras necesidades y flaquezas al convertirse en un suplicante que imploraba de su Padre nueva provisión de fuerza, para avanzar vigorizado hacia el deber y la prueba. Él es nuestro ejemplo en todas las cosas. Es un hermano en nuestras debilidades, "tentado en todo de la misma manera que nosotros",[1] pero como ser inmaculado, se negó a hacer el mal; su alma sufrió las luchas y torturas de un mundo de pecado. Su humanidad hizo de la oración una necesidad y un privilegio. Encontraba consuelo y gozo en la comunión con su Padre. Y si el Salvador de los seres humanos, el Hijo de Dios, sintió la necesidad de orar, ¡cuánto más nosotros, débiles mortales, manchados por el pecado, deberíamos sentir la necesidad de orar con fervor y constancia!

Nuestro Padre celestial está esperando para derramar sobre nosotros la plenitud de sus bendiciones. Es nuestro privilegio beber abundantemente en la fuente del amor infinito. ¡Cuán extraño es que oremos tan poco! Dios está listo y dispuesto a escuchar la oración de sus hijos, y no obstante hay por nuestra parte mucha vacilación para presentar nuestras necesidades delante del Señor. ¿Qué pueden pensar los ángeles del cielo de los pobres seres humanos desvalidos, sujetos a la tentación, y que sin embargo oran tan poco y tienen tan poca fe, cuando el gran Dios lleno de infinito amor se compadece de ellos y está dispuesto a darles más de lo que pueden pedir o imaginar? Los ángeles se deleitan en postrarse delante de Dios y en estar cerca de él. Su mayor delicia consiste en estar en comunión con Dios; en cambio, los hijos de la raza caída, que tanto necesitan la ayuda que únicamente Dios puede dar, parecen satisfechos con andar privados de la luz de su Espíritu y de la compañía de su presencia.

Las tinieblas del maligno envuelven a aquellos que descuidan la oración. Las tentaciones secretas del enemigo los incitan al pecado; y todo porque no se valen del privilegio de orar que Dios les ha concedido. ¿Por qué los hijos e hijas de Dios son tan remisos para orar, cuando la oración es la llave en la mano de la fe para abrir el almacén del cielo, donde están atesorados los recursos infinitos de la Omnipotencia? Sin oración incesante y vigilancia diligente corremos el riesgo de volvernos indiferentes y de desviarnos del buen camino. El adversario procura constantemente obstruir el acceso al propiciatorio para que no obtengamos, mediante fervientes súplicas y fe, gracia y poder para resistir la tentación.

Hay ciertas condiciones de acuerdo con las cuales podemos esperar que Dios escuche y conteste nuestras oraciones. Una de las primeras es que sintamos necesidad de la ayuda que él puede dar. Nos ha dejado esta promesa: "Regaré con agua la tierra sedienta, y con arroyos el suelo seco".[2] Los que tienen hambre y sed de justicia, los que suspiran por Dios, pueden estar seguros de que serán saciados. El corazón tiene que estar abierto a la influencia del Espíritu; de otra manera no puede recibir las bendiciones de Dios.

Nuestra gran necesidad es en sí misma un argumento, y habla elocuentemente en nuestro favor. Pero se necesita buscar al Señor para que haga estas cosas por nosotros. Nos dice: "Pidan, y se les dará".[3] Y "el que no escatimó ni a su propio Hijo, sino que lo entregó por todos nosotros, ¿cómo no habrá de darnos generosamente, junto con él, todas las cosas?"[4]

Nuestra gran necesidad es en sí misma un argumento, y habla elocuentemente en nuestro favor.

Si toleramos la iniquidad en nuestro corazón, si nos aferramos a algún pecado conocido, el Señor no nos oirá; pero la oración del alma arrepentida y contrita será siempre aceptada. Cuando hayamos confesado con corazón contrito, y corregido en lo posible, todos nuestros pecados conocidos, podremos esperar que Dios conteste nuestras oraciones. Ningún mérito nuestro podría jamás recomendarnos a la gracia de Dios. Son los méritos del Señor Jesús los que nos salvan y su sangre la que nos limpia; sin embargo nosotros tenemos una obra que hacer para cumplir las condiciones de la aceptación.

La oración eficaz tiene otro elemento: la fe. "Ya que cualquiera que se acerca a Dios tiene que creer que él existe y que recompensa a quienes lo buscan".[5] El Señor Jesús dijo a sus discípulos: "Crean que ya han recibido todo lo que estén pidiendo en oración, y lo obtendrán".[6] ¿Le tomamos la palabra a Dios?

La seguridad es amplia e ilimitada, y fiel es el que ha prometido. Cuando no recibimos precisamente y al instante las cosas que pedimos, hemos de seguir creyendo que el Señor oye y que contestará nuestras oraciones. Somos tan cortos de vista y tan propensos a errar, que algunas veces pedimos cosas que no serían una bendición para nosotros, y nuestro Padre celestial contesta con amor nuestras oraciones dándonos aquello que es para nuestro mejor bien, aquello que nosotros mismos desearíamos si, iluminados de celestial saber, pudiéramos ver todas las cosas como realmente son. Cuando nos parezca que nuestras oraciones no son contestadas, tenemos que aferrarnos a la promesa; porque el tiempo de recibir la respuesta ciertamente llegará y recibiremos las bendiciones que más necesitamos. Por supuesto, pretender que nuestras oraciones sean siempre contestadas en la misma forma y según aquello en concreto que anhelamos, es presunción. Dios es demasiado sabio para equivocarse, y demasiado bueno para negar un bien a los que andan en integridad. Así que no temas confiar en él, aunque no veas la respuesta inmediata a tus oraciones. Confía en la seguridad de su promesa: "Pidan, y se les dará".[7]

Dios es demasiado sabio para equivocarse, y demasiado bueno para negar un bien a los que andan en integridad.

Si nos dejamos guiar por nuestras dudas y temores, o antes de tener fe procuramos resolver todo lo que no veamos claramente, las perplejidades no harán sino aumentar y agudizarse. Pero si nos acercamos a Dios, sintiéndonos desamparados y necesitados, como en realidad estamos, y con fe humilde y confiada presentamos nuestras necesidades ante Aquel cuyo conocimiento es infinito y que ve todas las cosas de su creación y todo lo gobierna por su voluntad y palabra, él puede y quiere atender nuestro clamor, y hará resplandecer la luz en nuestro corazón.

Por la oración sincera nos ponemos en comunicación con la mente del Infinito. Quizás no tengamos al instante alguna prueba notable de que el rostro de nuestro Redentor se inclina hacia nosotros con compasión y amor; y sin embargo es así. Tal vez no sintamos su toque manifiesto, pero su mano se extiende sobre nosotros con amor y piadosa ternura.

Cuando imploramos misericordia y bendición de Dios, hemos de tener un espíritu de amor y perdón en nuestro propio corazón. ¿Cómo podemos orar: "Perdónanos nuestras deudas, *como* también nosotros hemos perdonado a nuestros deudores",[8] y abrigar, sin embargo, un espíritu que no perdona? Si esperamos que nuestras oraciones sean escuchadas, debemos perdonar a otros como esperamos ser perdonados nosotros.

La perseverancia en la oración se ha constituido en una condición para recibir lo que pedimos. Hemos de orar continuamente si queremos crecer en fe y en experiencia. Debemos ser perseverantes "en la oración".[9] "Dedíquense a la oración: perseveren en ella con agradecimiento".[10] El apóstol Pedro exhorta a los cristianos: "Para orar bien, manténganse sobrios y con la mente despejada".[11] El apóstol Pablo aconseja: "En toda ocasión, con oración y ruego, presenten sus peticiones a Dios y denle gracias".[12] Dice Judas: "Ustedes, en cambio, [...] manténganse [...] orando en el Espíritu Santo".[13] Orar sin cesar es mantener una unión continua del alma con Dios, de modo que la vida de Dios fluya a la nuestra, y de nuestra vida la pureza y la santidad refluyan a Dios.

Conviene que seamos diligentes en la oración. No permitas que nada te impida orar. Haz todo lo que puedas para mantenerte de continuo en comunión con Jesús. Aprovecha toda oportunidad que tengas para ir a donde se acostumbra a orar. Quienes de veras intentan mantenerse en comunión con Dios asisten a los cultos de oración, son fieles en cumplir su deber, y se muestran ávidos y afanosos por cosechar todos los beneficios que puedan alcanzar. Y aprovechan toda oportunidad de ponerse en situación de recibir rayos de luz celestial.

Tenemos que orar también en el círculo de nuestra familia; y sobre todo no descuidar la oración privada, porque es el aliento del alma. Es imposible que florezca nuestra espiritualidad cuando se descuida la oración. La oración pública o en familia por sí sola no es suficiente. Ábrele tu alma al penetrante ojo de Dios cuando estés solo. La oración secreta únicamente debe ser oída por el Dios que escucha todas las plegarias. Ningún oído curioso debe cargar con el peso de tales peticiones. En la oración privada el alma se halla libre de las influencias del ambiente, libre de excitación. Tranquila pero fervientemente se elevará la oración hacia Dios. Dulce y permanente será la influencia que dimana de Aquel que ve lo secreto, cuyo oído está abierto a la plegaria que brota del corazón. Mediante una fe sencilla y serena el alma se mantiene en comunión con Dios, y recoge los rayos de la luz divina para fortalecerse y sostenerse en la lucha contra Satanás. Dios es el baluarte de nuestra fortaleza.

Ora en un lugar secreto; y mientras atiendes tu trabajo cotidiano levanta a menudo tu corazón hacia Dios. Así fue como Enoc anduvo con Dios. Esas oraciones silenciosas suben como oloroso incienso ante el trono de la gracia. Satanás no puede vencer a aquel cuyo corazón está apoyado en Dios.

No hay tiempo o lugar en que sea impropio orar a Dios. No hay nada que pueda impedirnos elevar nuestro corazón en ferviente oración. En medio de las multitudes de las calles o en medio de una reunión de negocios podemos elevar a Dios una oración e implorar la dirección divina, como lo hizo Nehemías cuando presentó una petición delante del rey Artajerjes. Dondequiera que estemos podemos entrar en comunión con Dios. Hemos de tener abierta de continuo la puerta del corazón e invitar siempre al Señor Jesús a venir y morar en nuestra alma como huésped celestial.

Aunque nos encontremos rodeados por una atmósfera corrompida y mancillada, no tenemos por qué respirar sus miasmas; más bien podemos vivir en el ambiente limpio del cielo. Al elevar a Dios nuestro corazón mediante la oración sincera podemos cerrar la entrada a toda imaginación impura y a todo pensamiento impío. Aquellos cuyo corazón esté abierto a recibir el apoyo y la bendición de Dios se desenvolverán en una atmósfera más santa que la del mundo y tendrán constante comunión con el cielo.

Al elevar a Dios nuestro corazón mediante la oración sincera podemos cerrar la entrada a toda imaginación impura y a todo pensamiento impío.

Necesitamos tener una visión más clara del Señor Jesús y una comprensión más completa del valor de las realidades eternas. La hermosura de la santidad debe saciar el corazón de los hijos de Dios;

y para que esto suceda hemos de buscar la revelación de las cosas celestiales.

Hagamos el esfuerzo de elevar nuestro espíritu para que Dios nos conceda respirar la atmósfera celestial. Podemos mantenernos tan cerca de Dios que en cualquier prueba inesperada, nuestros pensamientos se vuelvan hacia él tan naturalmente como la flor se vuelve hacia el sol.

Presenta a Dios tus necesidades, tristezas, gozos, preocupaciones y temores. No puedes incomodarlo ni agobiarlo. El que tiene contados los cabellos de tu cabeza no es indiferente a las necesidades de sus hijos. "Es que el Señor es muy compasivo y misericordioso".[14] Su amoroso corazón se conmueve por nuestras tristezas, incluso cuando las presentamos delante de él. Llévale todo lo que confunde. No hay nada que sea tan pesado que él no lo pueda soportar, pues sostiene los mundos y rige todos los asuntos del universo. Nada que de alguna manera afecte nuestra paz es tan pequeño que él no lo note. No hay en nuestra experiencia ningún episodio tan oscuro

Presenta a Dios tus necesidades, tristezas, gozos, cuidados y temores. No puedes incomodarlo ni agobiarlo.

que él no lo pueda leer, ni perplejidad tan grande que no la pueda solventar. Ninguna calamidad puede ocurrirle al más pequeño de sus hijos, ninguna ansiedad puede asaltar el alma, ningún gozo alegrarlo, ninguna oración sincera escaparse de los labios, sin que el Padre celestial lo perciba y sin que tome en ello un interés inmediato. Él "restaura a los abatidos y cubre con vendas sus heridas".[15] Las relaciones entre Dios y cada alma son tan especiales y únicas como si no hubiera habido otra alma de la que ocuparse ni por la cual entregar a su Hijo amado.

El Señor Jesús dijo: "En aquel día pedirán en mi nombre. Y no digo que voy a rogar por ustedes al Padre, ya que el Padre mismo los ama".[16] "Yo los escogí a ustedes [...]. Así el Padre les dará todo lo que le pidan en mi nombre".[17] Orar en el nombre del Señor Jesús es más que hacer simplemente mención de su nombre al principio y al fin de la oración. Es orar con los sentimientos y el espíritu de él, creyendo en sus promesas, confiando en su gracia y haciendo sus obras.

Dios no pide a nadie que se vuelva ermitaño o monje, ni que se retire del mundo a fin de consagrarse a la adoración. La vida tiene que ser como la de Cristo, que estaba repartida entre la montaña y la multitud. Quien no hace nada más que orar, pronto dejará de hacerlo, o sus oraciones llegarán a ser una rutina formal. Cuando los hombres y las mujeres se aislan de la sociedad, de la esfera del deber cristiano y de la obligación de llevar su cruz. Cuando dejan de trabajar fervorosamente por el Maestro que trabajó con ardor por ellos, pierden lo esencial de la oración y no tienen ya estímulo para la devoción. Sus oraciones llegan a ser individualistas y egocéntricas. No pueden orar por las necesidades de la humanidad o la extensión del reino de Cristo ni solicitar poder para la acción.

Quien no hace nada más que orar, pronto dejará de hacerlo, o sus oraciones llegarán a ser una rutina formal.

Sufrimos una pérdida cuando descuidamos la oportunidad de congregarnos para fortalecernos y edificarnos mutuamente en el servicio de Dios. Las verdades de su Palabra pierden su vitalidad e importancia en nuestras almas. Nuestros corazones dejan de ser iluminados y vivificados por la influencia santificadora, y nuestra espiritualidad declina. En nuestro trato como cristianos perdemos mucho por falta de solidaridad mutua. La persona que se encierra demasiado en sí misma no ocupa la posición que Dios le señaló. El cultivo apropiado de la dimensión social de nuestra naturaleza nos lleva a solidarizarnos con los demás, y es para nosotros un medio de desarrollarnos y fortalecernos en el servicio a Dios.

Si todos los cristianos se asociaran y hablaran unos a otros del amor de Dios y de las preciosas promesas de la redención, su corazón se robustecería, y se edificarían mutuamente. Aprendamos diariamente más de nuestro Padre celestial, obteniendo una nueva experiencia de su gracia, y entonces desearemos hablar de su amor. Mientras lo hagamos, nuestro propio corazón se enternecerá y reanimará. Si pensáramos y habláramos más del Señor Jesús y menos de nosotros mismos, gozaríamos mucho más de su presencia.

Si pensáramos y habláramos más del Señor Jesús y menos de nosotros mismos, gozaríamos mucho más de su presencia.

Si tan solo pensáramos en él tantas veces como tenemos pruebas de su cuidado por nosotros, lo tendríamos siempre presente en nuestros pensamientos y nos deleitaríamos en hablar de él y en alabarlo. Hablamos de las cosas temporales porque tenemos interés en ellas. Hablamos de nuestros amigos porque los queremos; relacionamos con ellos todas nuestras alegrías y tristezas. Sin embargo, tenemos razones infinitamente mayores para amar a Dios que para querer a nuestros amigos terrenales. Debería ser la cosa más natural del mundo darle el primer lugar en nuestros pensamientos, hablar de su bondad y alabar su poder. Los ricos dones que ha derramado sobre nosotros no estaban destinados a absorber nuestros pensamientos y amor de tal manera que nada tuviéramos que dar a Dios. Al contrario, debieran hacer que nos acordáramos constantemente de él y así unirnos por vínculos de amor y gratitud a nuestro Benefactor celestial. Vivimos demasiado apegados a lo terreno. Alcemos la vista hacia la puerta abierta del Santuario celestial, donde la luz de la gloria de Dios resplandece en el rostro de Cristo, quien "también puede salvar por completo a los que por medio de él se acercan a Dios".[18]

Hemos de alabar más a Dios "por su gran amor, por sus maravillas en favor nuestro".[19] Nuestras actividades devocionales no debieran consistir únicamente en pedir y recibir. No hemos de pensar siempre en nuestras necesidades y nunca en los beneficios que recibimos. No oramos nunca demasiado, pero somos muy parcos en dar gracias. Constantemente estamos recibiendo las misericordias de Dios y, sin embargo, ¡cuán poca gratitud expresamos! ¡Cuán poco lo alabamos por lo que ha hecho en nuestro favor!

Antiguamente el Señor ordenó esto a Israel para cuando se congregara a rendirle culto: "Allí, en la presencia del Señor su Dios, ustedes y sus familias comerán y se regocijarán por los logros de su trabajo, porque el Señor su Dios los habrá bendecido".[20] Lo que se hace para gloria de Dios tiene que hacerse con alegría, con cánticos de alabanza y acción de gracias, no con tristeza y semblante adusto.

El Señor quiere que sus hijos hallen consuelo en servirle y más placer que fatiga en su obra.

Nuestro Dios es un Padre tierno y misericordioso. Su servicio no tiene que ser considerado como algo que entristece, como un ejercicio penoso. Tiene que ser un placer adorar al Señor y participar en su obra. Dios no quiere que sus hijos, a los cuales proporcionó una salvación tan grande, actúen como si él fuera un amo duro y exigente. Él es su mejor amigo; y cuando lo adoran quiere estar con ellos para bendecirlos y confortarlos llenando sus corazones de alegría y amor. El Señor quiere que sus hijos hallen consuelo en servirle y más placer que fatiga en su obra. Él desea que quienes vengan a adorarlo se lleven pensamientos maravillosos acerca de su amor y protección, a fin de que reciban ánimo para vivir y obtengan gracia para obrar honestamente y con fidelidad en todo.

Hemos de reunirnos en torno a la cruz. Cristo, y Cristo crucificado, tiene que ser el tema de nuestra meditación, conversación y más gozosa emoción. Al recordar todas las bendiciones que recibimos de Dios; y al cerciorarnos de su gran amor, debiéramos estar dispuestos a confiar todas las cosas a la mano que fue clavada en la cruz por nosotros.

El alma puede elevarse hacia el cielo en las alas de la alabanza. Dios es adorado con cánticos y música en las mansiones celestiales, y al expresar nuestra gratitud nos aproximamos al culto que rinden los seres celestiales. Se nos dice: "Quien me ofrece su gratitud, me honra".[21] Presentémonos, pues, con gozo reverente delante de nuestro Creador, con "acción de gracias y música de salmos".[22]

Referencias

1. Hebreos 4:15
2. Isaías 44:3
3. S. Mateo 7:7
4. Romanos 8:32
5. Hebreos 11:6
6. S. Marcos 11:24
7. S. Mateo 7:7
8. S. Mateo 6:12
9. Romanos 12:12
10. Colosenses 4:2
11. 1 S. Pedro 4:7
12. Filipenses 4:6
13. S. Judas 20, 21
14. Santiago 5:11
15. Salmo 147:3
16. S. Juan 16:26, 27
17. S. Juan 15:16
18. Hebreos 7:25
19. Salmo 107:8
20. Deuteronomio 12:7
21. Salmo 50:23
22. Isaías 51:3

¿Qué hacer con la duda?

Muchos, especialmente los que tienen poca experiencia en la vida cristiana, se sienten a veces turbados por las insinuaciones del escepticismo. Hay en la Biblia muchas cosas que no pueden explicar, ni siquiera percibir, y Satanás las emplea para hacer vacilar su fe en las Sagradas Escrituras como revelación de Dios. Preguntan: "¿Cómo puedo saber cuál es el buen camino? Si la Biblia es en verdad la Palabra de Dios, ¿cómo puedo librarme de esas dudas y perplejidades?"

Dios nunca nos exige que creamos sin darnos suficiente evidencia sobre la cual fundamentar nuestra fe. Su existencia, su carácter, la veracidad de su Palabra, todo se halla establecido por abundantes testimonios que apelan a nuestra razón. Sin embargo, Dios no ha eliminado toda posibilidad de dudar. Nuestra fe tiene que reposar sobre evidencias, no sobre demostraciones. Quienes quieran dudar tendrán oportunidad de hacerlo, al paso que quienes realmente deseen conocer la verdad encontrarán abundante evidencia sobre la cual basar su fe.

Dios nunca nos exige que creamos sin darnos suficiente evidencia sobre la cual fundamentar nuestra fe.

Es imposible para el espíritu humano finito comprender plenamente el carácter de las obras del Infinito. Para la inteligencia más perspicaz, para el espíritu más ilustrado, aquel santo Ser tiene que permanecer siempre envuelto en el misterio. "¿Puedes adentrarte en los misterios de Dios o alcanzar la perfección del Todopoderoso? Son más altos que los cielos; ¿qué puedes hacer? Son más profundos que el sepulcro; ¿qué puedes saber?"[1]

El apóstol Pablo exclama: "¡Qué profundas son las riquezas de la sabiduría y del conocimiento de Dios! ¡Qué indescifrables sus juicios e impenetrables sus caminos!"[2] Pero, aunque "oscuros nubarrones lo rodean; la rectitud y la justicia son la base de su trono".[3] Podemos comprender lo suficiente de su trato con nosotros y los motivos que le impulsan, para discernir en él un amor y misericordia sin límites, unidos a un poder infinito. Podemos entender de sus designios lo que conviene que sepamos; y más allá de esto debemos seguir confiando en su mano omnipotente y en su corazón lleno de amor.

La Palabra de Dios, como el carácter de su divino autor, presenta misterios que nunca podrán ser plenamente comprendidos por seres finitos. La entrada del pecado en el mundo, la encarnación de Cristo, la regeneración, la resurrección y otros muchos asuntos que se presentan en la Sagrada Escritura son misterios demasiado profundos para que la mente humana los explique, o siquiera los entienda realmente. Pero no tenemos motivo para dudar de la Palabra de Dios porque no podamos comprender los misterios de su providencia. En el mundo natural estamos constantemente rodeados de misterios que no podemos penetrar. Hasta las formas más humildes de vida presentan enigmas que el más sabio de los filósofos es incapaz de explicar. Por doquiera se ven maravillas que superan nuestro conocimiento. ¿Vamos entonces a sorprendernos de que en el mundo espiritual haya también misterios que no podemos sondear? La dificultad estriba únicamente en la debilidad y estrechez del espíritu humano. Dios nos ha dado en las Sagradas Escrituras pruebas suficientes de su carácter divino, y no debemos dudar de su Palabra porque no podamos entender los misterios de su providencia.

El apóstol Pedro dice que hay en las Escrituras "algunos puntos difíciles de entender, que los ignorantes e inconstantes tergiversan [...] para su propia perdición".[4]

Los incrédulos han presentado las dificultades de las Sagradas Escrituras como argumento contra ellas; pero distan tanto de serlo que constituyen en realidad una poderosa evidencia de su inspiración divina. Si solo contuviera acerca de Dios aquello que fácilmente pudiéramos comprender, si su grandeza y majestad pudieran ser abarcadas por inteligencias finitas, entonces la Biblia no llevaría las credenciales inequívocas de la autoridad divina. La misma grandeza y los mismos misterios de los temas presentados deben inspirar fe en ella como Palabra de Dios.

La Escritura presenta la verdad con tal sencillez y con una adaptación tan perfecta a las necesidades y los anhelos del corazón humano, que ha asombrado y encantado a los espíritus más cultivados. Al mismo tiempo capacita al más humilde y sencillo para discernir el camino de la salvación. No obstante, estas verdades sencillamente declaradas tratan asuntos tan elevados, de tanta trascendencia, tan infinitamente fuera del alcance de la comprensión humana, que solo podemos aceptarlas porque Dios las ha revelado.

Así queda el plan de la redención expuesto delante de nosotros de modo que toda alma pueda ver los pasos que tiene que dar a fin de arrepentirse ante Dios, y tener fe en nuestro Señor Jesucristo, para salvarse de la manera señalada por Dios. Sin embargo, bajo estas verdades tan comprensibles existen misterios que son el escondedero de la gloria del Señor, misterios que abruman la mente que los indaga, aunque inspiran fe y reverencia al sincero investigador de la verdad. Cuanto más escudriña este la Biblia, tanto más se arraiga su convicción de que es la Palabra del Dios vivo, y la razón humana se inclina ante la majestad de la revelación divina.

Reconociendo que no somos capaces de entender plenamente las grandes verdades de la Escritura no hacemos más que admitir que nuestra mente finita no basta para abarcar lo infinito; que el ser humano, con su limitado conocimiento, no puede comprender los designios de la Omnisciencia.

Por el hecho de que no pueden sondear todos los misterios de la Palabra de Dios, los escépticos y los incrédulos la rechazan; y no todos los que profesan creer en ella quedan exentos de este peligro. El apóstol dice: "Cuídense, hermanos, de que ninguno de ustedes tenga un corazón pecaminoso e incrédulo que los haga apartarse del Dios vivo".[5] Es bueno estudiar detenidamente las enseñanzas de la Escritura e investigar "las profundidades" de Dios hasta donde se revelan en ella, porque si bien "lo secreto pertenece al Señor nuestro Dios", "lo revelado nos pertenece a nosotros".[6] Pero Satanás obra para pervertir las facultades de investigación del entendimiento. Cierto orgullo se mezcla con la consideración de la verdad bíblica, de modo que cuando los hombres y las mujeres no pueden explicar todas sus partes como quisieran se impacientan y se sienten derrotados. Les resulta demasiado humillante reconocer que no pueden entender las palabras inspiradas. No están dispuestos a esperar pacientemente hasta que Dios juzgue oportuno revelarles la verdad. Creen que su sabiduría humana sin auxilio alguno basta para hacerles entender la Escritura, y cuando no lo logran niegan virtualmente la autoridad de esta. Es verdad que muchas teorías y doctrinas que se consideran generalmente derivadas de la Biblia no tienen fundamento en lo que ella enseña, y en realidad contrarían todo el tenor de la inspiración. Estas cosas han sido motivo de duda y perplejidad para muchos. No son, sin embargo, imputables a la Palabra de Dios, sino a la perversión que los seres humanos han hecho de ella.

Si fuera posible para los seres terrenales obtener pleno conocimiento de Dios y de sus obras, no habría ya para ellos, después de lograrlo, ni descubrimiento de nuevas verdades, ni crecimiento del saber, ni desarrollo ulterior del espíritu o del corazón. Dios no sería ya supremo; y los seres humanos, habiendo alcanzado el límite del conocimiento y del desarrollo, dejarían de progresar. Demos gracias a Dios de que no es así. Dios es infinito; en él están "todos los tesoros de la sabiduría y del conocimiento".[7] Y por toda la eternidad los redimidos podrán seguir escudriñando, continuarán aprendiendo, sin poder agotar nunca, sin embargo, los tesoros de su sabiduría, su bondad y su poder.

Él quiere que aun en esta vida las verdades de su Palabra se vayan revelando de continuo a su pueblo. Y hay solamente un modo por el cual se obtiene este conocimiento. No podemos llegar a entender la Palabra de Dios sino mediante la iluminación del Espíritu por el cual fue revelada. "Así mismo, nadie conoce los pensamientos de Dios sino el Espíritu de Dios",[8] "pues el Espíritu lo examina todo, hasta las profundidades de Dios".[9] Y la promesa del Salvador a sus discípulos fue: "Cuando venga el Espíritu de la verdad, él los guiará a toda la verdad, porque [...] tomará de lo mío y se lo dará a conocer a ustedes".[10]

Dios desea que los seres humanos hagamos uso de nuestra facultad de razonar; y el estudio de la Sagrada Escritura fortalecerá y elevará la mente como ningún otro estudio puede hacerlo. Con todo, debemos cuidarnos de no deificar la razón, que se halla sujeta a las debilidades y flaquezas de la humanidad. Si no queremos que las Sagradas Escrituras estén veladas para nuestro entendimiento, de modo que no podamos comprender ni las verdades más simples, deberíamos tener la sencillez y la fe de un niño, y estar dispuestos a aprender e implorar la ayuda del Espíritu Santo. El conocimiento del poder y la sabiduría de Dios y la conciencia de nuestra incapacidad para comprender su grandeza, deben inspirarnos humildad, y hemos de abrir su Palabra con santo temor, como si compareciéramos ante él. Cuando nos acercamos a la Escritura, nuestra razón debe reconocer una autoridad superior a ella misma, y el corazón y la inteligencia deben postrarse ante el gran YO SOY.

Hay muchas cosas aparentemente difíciles u oscuras que Dios convertirá en claras y sencillas para los que con esa humildad procuren entenderlas. Pero sin la dirección del Espíritu Santo estaremos continuamente expuestos a torcer las Sagradas Escrituras o a interpretarlas mal.

Muchos leen la Biblia de una manera que no aprovecha, y hasta, en numerosos casos, produce un daño patente. Cuando el Libro de Dios se abre sin oración ni reverencia; cuando los pensamientos y afectos no están fijos en Dios, o no armonizan con su voluntad, el intelecto queda envuelto en dudas, y entonces con el mismo estudio de la Biblia se fortalece el escepticismo. El enemigo se posesiona de los pensamientos, y sugiere interpretaciones incorrectas. Cuando los seres humanos no procuran estar en armonía con Dios en obras y en palabras, por instruidos que sean, quedan expuestos a errar en su modo de entender las Sagradas Escrituras, y no es seguro confiar en sus explicaciones. Quienes escudriñan las Escrituras para buscar discrepancias, no tienen penetración espiritual. Con visión distorsionada encontrarán muchas razones para dudar y no creer en cosas realmente claras y sencillas.

Ahora bien, disfrácesela como se quiera, la causa real de la duda y del escepticismo es, en la mayoría de los casos, el amor al pecado. Las enseñanzas y restricciones de la Palabra de Dios no agradan al corazón orgulloso, que ama el pecado; y quienes rehúsan obedecer lo que ella requiere están listos para dudar de su autoridad. Para llegar a la verdad

La causa real de la duda y del escepticismo es, en la mayoría de los casos, el amor al pecado.

hemos de tener un deseo sincero de conocerla, y en el corazón, buena voluntad para obedecerla. Todos los que estudien la Escritura con este espíritu encontrarán abundante evidencia de que es la Palabra de Dios y podrán obtener una comprensión de sus verdades que los hará sabios para la salvación.

Para llegar a la verdad debemos tener un deseo sincero de conocerla, y en el corazón, buena voluntad para obedecerla.

Cristo dijo: "El que esté dispuesto a hacer la voluntad de Dios reconocerá si mi enseñanza proviene de Dios".[11] En vez de dudar y cavilar tocante a lo que no entienden, presten atención a la luz que ya brilla sobre ustedes, y recibirán mayor luz. Cumplan, mediante la gracia de Cristo, todos los deberes que hayan comprendido, y serán capaces de comprender y cumplir aquellos de los cuales todavía dudan.

Hay una prueba que está al alcance de todos, del más educado y del más ignorante: la evidencia de la experiencia. Dios nos invita a verificar por nosotros mismos la realidad de su Palabra, la verdad de sus promesas. Él nos dice: "Prueben y vean que el Señor es bueno".[12] En vez de depender de lo que digan otros, tenemos que comprobarlo por nosotros mismos. Dice: "Pidan y recibirán".[13] Sus promesas se cumplirán. Nunca han fallado; nunca pueden fallar. Y cuando nos acerquemos al Señor Jesús y nos regocijemos en la plenitud de su amor, nuestras dudas y tinieblas desaparecerán ante la luz de su presencia.

El apóstol Pablo dice que Dios "nos libró del dominio de la oscuridad y nos trasladó al reino de su amado Hijo".[14] Y todo aquel que ha pasado de muerte a vida "certifica que Dios es veraz".[15] Puede testificar: "Necesitaba auxilio y lo he encontrado en el Señor Jesús. Se suplieron todas mis necesidades; fue satisfecha el hambre de mi alma; y ahora la Escritura es para mí la revelación de Jesucristo. ¿Me preguntan por qué creo en él? Porque es para mí un Salvador divino. ¿Por qué creo en la Biblia? Porque he comprobado que es la voz de Dios para mi alma". Podemos tener en nosotros mismos el testimonio de que la Escritura es verdadera y de que Cristo es el Hijo de Dios. Sabemos que no estamos "siguiendo sutiles cuentos supersticiosos".[16]

El apóstol Pedro exhorta a los hermanos a crecer "en la gracia y en el conocimiento de nuestro Señor y Salvador Jesucristo".[17] Cuando los hijos de Dios crezcan en la gracia obtendrán constantemente un conocimiento más claro de su Palabra. Discernirán nueva luz y belleza en sus sagradas verdades. Esto es lo que ha sucedido en la historia de la iglesia en todas las edades, y continuará ocurriendo hasta el fin. "La senda de los justos se asemeja a los primeros albores de la aurora: su esplendor va en aumento hasta que el día alcanza su plenitud".[18]

Cuando los hijos de Dios crezcan en la gracia obtendrán constantemente un conocimiento más claro de su Palabra. Discernirán nueva luz y belleza en sus sagradas verdades.

Por la fe podemos mirar la vida futura y confiar en las promesas de Dios respecto al desarrollo de la inteligencia, a la unión de las facultades humanas con las divinas y a la relación directa de todas las potencias del alma con la Fuente de luz. Podemos regocijarnos de que todo lo que nos confundió en cuanto a las providencias de Dios será entonces aclarado; las cosas difíciles de entender recibirán entonces explicación; y donde nuestro entendimiento finito no descubría más que confusión y planes fallidos, veremos la más perfecta y hermosa armonía. "Ahora vemos de manera indirecta y velada, como en un espejo; pero entonces veremos cara a cara. Ahora conozco de manera imperfecta, pero entonces conoceré tal y como soy conocido".[19]

Referencias

1. Job 11:7,8
2. Romanos 11:33
3. Salmo 97:2
4. 2 S. Pedro 3:16
5. Hebreos 3:12;
6. Deuteronomio 29:29
7. Colosenses 2:3
8. 1 Corintios 2:11
9. 1 Corintios 2:10
10. S. Juan 16:13, 14
11. S. Juan 7:17
12. Salmo 34:8
13. S. Juan 16:24
14. Colosenses 1:13
15. S. Juan 3:33
16. 2 S. Pedro 1:16
17. 2 S. Pedro 3:18
18. Proverbios 4:18
19. 1 Corintios 13:12

La fuente de la felicidad

Los hijos de Dios están llamados a ser representantes de Cristo y a manifestar siempre la bondad y la misericordia del Señor. Así como el Señor Jesús nos reveló el verdadero carácter del Padre, hemos de revelar a Cristo ante un mundo que no conoce su ternura y su amor compasivo. "Como tú me enviaste al mundo —decía Jesús—, yo los envío también al mundo". "Yo en ellos y tú en mí. [...] Y así el mundo reconozca que tú me enviaste".[1] El apóstol Pablo dice a los discípulos del Señor: "Es evidente que ustedes son una carta de Cristo", "conocida y leída por todos".[2] En cada uno de sus hijos el Señor Jesús envía una carta al mundo. Si son discípulos de Cristo, él envía en ustedes una carta a la familia, a la ciudad, a la calle donde viven.

Jesús, que mora en ustedes, quiere hablar a los corazones que no lo conocen. Tal vez no leen la Biblia ni oyen la voz que les habla en sus páginas; no ven el amor de Dios en sus obras; pero si son verdaderos representantes del Señor Jesús, es posible que a través de ustedes sean inducidos a conocer algo de su bondad y sean ganados para amarlo y servirle.

Los cristianos son como portadores de luz en el camino al cielo. Han de reflejar sobre el mundo la luz de Cristo que brilla sobre ellos. Su vida y carácter tienen que ser tan rectos y amorosos, que a través de ellos los demás adquieran una idea correcta de Cristo y de su servicio.

Los cristianos son como portadores de luz en el camino al cielo. Deben reflejar sobre el mundo la luz de Cristo que brilla sobre ellos.

Si representamos verdaderamente a Cristo, haremos que su servicio resulte atractivo, ya que en realidad lo es. Los cristianos que llenan su alma de amargura y tristeza, murmuraciones y quejas, están representando falsamente a Dios y la vida cristiana ante los demás. Dan la impresión de que Dios no se complace en que sus hijos sean felices; y en esto dan falso testimonio contra nuestro Padre celestial.

Satanás se regocija cuando puede inducir a los hijos de Dios a la incredulidad y al desaliento. Se deleita cuando ve que desconfiamos de Dios y que dudamos de su buena voluntad y de su poder para salvarnos. Le agrada hacernos sentir que el Señor nos hará daño mediante sus providencias. Es obra de Satanás representar al Señor como falto de compasión y piedad. Tergiversa la verdad respecto a él. Llena la imaginación de ideas falsas en cuanto a Dios; y en vez de espaciarnos en la verdad acerca de nuestro Padre celestial, con demasiada frecuencia nos fijamos en las falsas representaciones de Satanás, y deshonramos a Dios desconfiando y murmurando contra él. Satanás procura siempre presentar la vida religiosa como lóbrega. Desea hacerla aparecer trabajosa y difícil; y cuando el cristiano, por su incredulidad, presenta en su vida la religión desde esa perspectiva, está apoyando el engaño de Satanás.

Muchos, al recorrer el camino de la vida, se espacian en sus propios errores, fracasos y desengaños, y sus corazones se llenan de dolor y desaliento. Mientras estaba yo en Europa, una hermana que había estado asumiendo esa actitud y que se hallaba profundamente acongojada, me escribió para pedirme algunos consejos que la animaran. A la noche siguiente soñé que me encontraba yo en un jardín y que alguien, al parecer el dueño del jardín, me conducía por sus senderos. Yo estaba recogiendo flores y gozando de su fragancia, cuando esa hermana, que había estado caminando a mi lado, me señaló algunos feos zarzales que le estorbaban el paso. Allí estaba ella, afligida y llena de pesar. No iba por la senda, siguiendo al guía, sino que andaba entre espinas y abrojos. "¡Oh! —se lamentaba— ¿no es una lástima que las espinas hayan echado a perder este hermoso jardín?" Entonces el que nos guiaba dijo: "No hagan caso de las espinas, porque no harán más que causarles molestias. Junten las rosas, los lirios y los claveles".

¿No has experimentado algunos momentos de dicha? ¿No has disfrutado algunos momentos preciosos cuando tu corazón palpitó de gozo respondiendo al Espíritu de Dios? Cuando recorres los capítulos pasados de tu vida, ¿no encuentras ninguna página agradable? ¿No son las promesas de Dios fragantes flores a cada lado del camino que recorres? ¿No vas a permitir que su belleza y dulzura llenen tu corazón de gozo?

Las espinas y abrojos te herirán y causarán dolor; y si únicamente los recoges y los presentas a otros, ¿no estás menospreciando la bondad de Dios e impidiendo que los demás recorran el camino de la vida?

No es sensato reunir todos los recuerdos desagradables de la vida pasada, las injusticias y los desengaños, para hablar de ellos y andar lamentándose hasta quedar abrumados por el desaliento.

No es sensato reunir todos los recuerdos desagradables de la vida pasada, las injusticias y los desengaños, para hablar de ellos y andar lamentándonos hasta quedar abrumados por el desaliento. Así uno se llena de tinieblas, desecha de su alma la luz divina y proyecta sombra en el camino de los demás.

Gracias a Dios por el magnífico panorama que nos ofrece. Reunamos las benditas promesas de su amor, para recordarlas siempre: El Hijo de Dios, que deja el trono de su Padre y reviste su divinidad con la humanidad para poder rescatarnos del poder de Satanás. Su triunfo en nuestro favor, que abre el cielo a los seres humanos y revela a su vista la morada donde la Divinidad descubre su gloria. La humanidad caída, levantada de lo profundo de la ruina en que el pecado la había sumergido, colocada de nuevo en relación con el Dios infinito, vestida de la justicia de Cristo y exaltada hasta su trono después de sufrir la prueba divina por la fe en nuestro Redentor. Todo esto es lo que Dios quiere que contemplemos.

Cuando dudamos del amor de Dios y desconfiamos de sus promesas, lo deshonramos y contristamos su Santo Espíritu. ¿Cómo se sentiría una madre cuyos hijos se quejaran constantemente de ella, como si no tuviera buenas intenciones con ellos, cuando en realidad durante su vida entera se había esforzado en favorecer sus intereses y en proporcionarles bienestar? Supongamos que dudaran de su amor; esto quebrantaría su corazón. ¿Cómo se sentiría un padre y una madre si sus hijos los trataran así? ¿Y cómo puede mirarnos nuestro Padre celestial cuando desconfiamos de su amor, que lo indujo a dar a su Hijo unigénito para que tengamos vida? El apóstol dice: "El que no escatimó ni a su propio Hijo, sino que lo entregó por todos nosotros, ¿cómo no habrá de darnos generosamente, junto con él, todas las cosas?"[3] Y sin embargo, cuántos están diciendo con sus hechos, si no con sus palabras: "El Señor no dijo esto para mí. Tal vez ame a otros, pero a mí no me quiere".

Todo esto está perjudicando a tu propia alma, pues cada palabra de duda que expresas da lugar a las tentaciones de Satanás; hace crecer en ti la tendencia a dudar, y es un agravio a los ángeles ministradores. Cuando Satanás te tiente, que no salga de tus labios una sola palabra de duda o de amargura. Si decides abrir la puerta a sus insinuaciones, tu mente se llenará de desconfianza y de insalvables dudas. Si hablas de tus sentimientos, cada duda que expreses no solo reaccionará sobre ti mismo, sino que será una semilla que germinará y dará fruto en la vida de otros; y acaso resulte imposible contrarrestar la mala influencia de tus palabras. Tal vez tú puedas reponerte de la hora de la tentación y de las trampas de Satanás; pero es posible que los que hayan sido dominados por tu influencia, no alcancen a escapar de la incredulidad que insinuaste. ¡Qué importante es que solo expresemos palabras que impartan poder espiritual y vida!

Los ángeles están atentos para oír qué clase de informe das al mundo acerca de tu Señor. Habla de Aquel que vive para interceder por nosotros ante el Padre. Que la alabanza de Dios esté en tus labios y tu corazón cuando estreches la mano de un amigo. Esto atraerá sus pensamientos al Señor Jesús.

Todos tenemos pruebas, duras aflicciones que sobrellevar y fuertes tentaciones que resistir. Pero no las cuentes a los mortales, llévalo todo a Dios en oración. Tengamos por norma no proferir una sola palabra de duda o desaliento. Podemos hacer mucho más para iluminar el camino de los demás y sostener sus esfuerzos si pronunciamos palabras de esperanza y buen ánimo.

Tengamos por norma no proferir una sola palabra de duda o desaliento.

Hay muchas almas valerosas que están siendo duramente acosadas por la tentación, casi a punto de desmayar en el conflicto que sostienen consigo mismas y con las potencias del mal. No las desalientes en su dura lucha. Confórtalas con palabras de ánimo, ricas en esperanza, que las estimulen a seguir adelante. De este modo puedes reflejar la luz de Cristo. "Ninguno de nosotros vive para sí mismo".[4] Por tu influencia inconsciente puedes alentar a los demás y fortalecerlos, o desanimarlos y apartarlos de Cristo y de la verdad.

Muchos tienen ideas muy erróneas acerca de la vida y el carácter de Cristo. Piensan que carecía de calor humano y de alegría, que era austero, severo y triste. Para muchos toda la vida religiosa se presenta con este sombrío rostro.

Se dice a menudo que Jesús lloró, pero que no se registra que sonriera. Nuestro Salvador fue a la verdad Varón de dolores y experimentado en quebrantos, porque abrió su corazón a todas las miserias de los seres humanos. Pero aunque la suya fue una vida de abnegación, sufrimientos e inquietudes, su espíritu no quedó abrumado por todo ello. En su rostro no se veía una expresión de amargura o queja, sino siempre de paz y serenidad. Su corazón era un manantial de vida. Y por donde iba aportaba paz y sosiego, gozo y alegría.

Nuestro Salvador fue profunda e intensamente fervoroso, pero nunca sombrío o huraño. La vida de quienes lo imiten estará llena de serios propósitos, y tendrán un profundo sentido de su responsabilidad personal. Rechazarán la liviandad; entre ellos no habrá júbilo tumultuoso ni bromas groseras; pues la religión de nuestro Señor Jesús da paz como un río. No extingue la luz del gozo, no impide la jovialidad ni oscurece el rostro alegre y sonriente. Cristo no vino para ser servido, sino para servir; y cuando su amor reine en nuestro corazón, seguiremos su ejemplo.

Si recordamos siempre las acciones egoístas e injustas de otros, encontraremos que es imposible amarlos como Cristo nos amó; pero si nuestros pensamientos se espacian continuamente en el maravilloso amor y compasión de Cristo hacia nosotros, manifestaremos el mismo espíritu hacia los demás. Tenemos que amarnos y respetarnos mutuamente, no obstante las faltas e imperfecciones que no podemos dejar de observar. Es necesario que cultivemos la humildad y la desconfianza hacia nosotros mismos, y una paciencia llena de ternura hacia las faltas ajenas. Esto destruirá todo estrecho egoísmo y nos dará un corazón grande y generoso.

El salmista dice: "Confía en el Señor y haz el bien; establécete en la tierra y mantente fiel".[5] "Confía en el Señor". Cada día trae sus cargas, sus problemas y perplejidades; y qué rápido empezamos a hablar de ello cuando nos encontramos unos con otros. Nos acosan tantas penas imaginarias, cultivamos tantos temores y exponemos tal carga de ansiedades, que cualquiera podría suponer que no tenemos un Salvador poderoso y misericordioso, dispuesto a oír todas nuestras peticiones y a ser nuestro protector constante en todos los momentos de necesidad.

Hay personas que viven en constante temor, y se apropian de aflicciones ajenas. Todos los días están rodeados de las evidencias del amor de Dios; todos los días gozan las bondades de su providencia; pero pasan por alto estas bendiciones presentes. Sus mentes están siempre espaciándose en algo desagradable cuya llegada temen; o puede ser que existan realmente algunas dificultades que, aunque pequeñas, ciegan sus ojos a las muchas bendiciones que demandan gratitud. En vez de que las dificultades con que tropiezan los guíen hacia Dios, única fuente de todo bien, los separan de él, porque despiertan desasosiego y lamentos.

¿Hacemos bien en ser tan incrédulos? ¿Por qué ser ingratos y desconfiados? Jesús es nuestro amigo; todo el cielo está interesado en nuestro bienestar. No debemos permitir que las perplejidades y congojas cotidianas aflijan nuestro espíritu y oscurezcan nuestro semblante. Si lo permitimos, habrá siempre algo que nos moleste y fatigue. No hemos de dar entrada a las preocupaciones que solo nos inquietan y agotan, pero no nos ayudan a soportar las pruebas.

Puedes sentirte perplejo por la marcha de tus negocios; tu situación puede ser cada día más sombría, y es posible que vivas bajo la amenaza de sufrir pérdidas; pero no te descorazones; confía tus cargas a Dios y continúa alegre y confiado. Pide sabiduría para manejar tus asuntos con discreción, a fin de evitar pérdidas y desastres. Haz todo lo que esté de tu parte para obtener resultados favorables. El Señor Jesús nos prometió su ayuda, pero sin eximirnos de hacer lo que esté en nuestra mano. Si confiando en nuestro Ayudador hemos hecho todo lo que podíamos, aceptemos gozosamente los resultados.

Si confiando en nuestro Ayudador hemos hecho todo lo que podíamos, aceptemos gozosamente los resultados.

No es la voluntad de Dios que sus hijos se sientan abrumados por el peso de la congoja. Pero tampoco nos engaña. No nos dice: "No teman; no hay peligros en el camino". Él sabe que hay pruebas y peligros, y nos habla con franqueza. No se propone sacar a su pueblo de este mundo de pecado y maldad, pero le ofrece un refugio que nunca falla. Su oración por sus discípulos fue: "No te pido que los quites del mundo, sino que los protejas del maligno". "En este mundo afrontarán aflicciones, pero ¡anímense! Yo he vencido al mundo".[6]

En el Sermón del Monte Cristo enseñó a sus discípulos valiosas lecciones relacionadas con la necesidad de confiar en Dios. Estas lecciones tenían el propósito de alentar a los hijos de Dios a través de los siglos, y han llegado hasta nosotros llenas de instrucción y consuelo. El Salvador dijo a sus discípulos que las aves del cielo entonan sus dulces cantos de alabanza sin estar abrumadas por las preocupaciones de la vida, a pesar de que "no siembran ni cosechan". Y sin embargo, el gran Padre celestial les da todo lo que necesitan. El Salvador pregunta: "¿No valen ustedes mucho más que ellas?"[7] El gran Dios, que provee para los seres humanos y las bestias, extiende su mano y suple las necesidades de todas sus criaturas. Las aves del cielo no son tan insignificantes que no las tenga presentes. Él no les pone el alimento en el pico, pero hace provisión para sus necesidades. Tienen que juntar el grano que él ha derramado para ellas. Han de preparar el material para sus nidos. Han de alimentar a sus polluelos. Ellas se dirigen cantando hacia su labor, porque "el Padre celestial las alimenta". Y "¿no valen ustedes mucho más que ellas?" ¿No son ustedes, como adoradores inteligentes y espirituales, de más valor que las aves del cielo? El Autor de nuestro ser, el Conservador de nuestra existencia, el que nos formó a su propia imagen divina, ¿no suplirá nuestras necesidades si tan solo confiamos en él?

Cristo presentaba a sus discípulos las flores del campo, que crecen en rica profusión y lucen la sencilla hermosura que el Padre celestial les dio, como una expresión de su amor hacia el ser humano. Él decía: "Observen cómo crecen los lirios del campo".[8] La belleza y la sencillez de estas flores naturales sobrepujan en excelencia la gloria de Salomón. El vestido más esplendoroso producido por la habilidad de la alta costura no puede compararse con la gracia natural y la belleza radiante de las flores creadas por Dios. El Señor Jesús preguntó: "Si así viste Dios a la hierba que hoy está en el campo y mañana es arrojada al horno, ¿no hará mucho más por ustedes, gente de poca fe?"[9] Si Dios, el Artista sublime, da a las flores, que perecen en un día, sus delicados y variados colores, ¿cuánto mayor cuidado no tendrá por quienes creó a su propia imagen? Esta lección de Cristo es un reproche contra la ansiedad, las perplejidades y dudas del corazón sin fe.

El Señor quiere que todos sus hijos e hijas sean felices, llenos de paz y obedientes.

El Señor quiere que todos sus hijos e hijas sean felices, llenos de paz y obedientes. El Señor dijo: "La paz les dejo; mi paz les doy. Yo no se la doy a ustedes como la da el mundo. No se angustien ni se acobarden".[10] "Les he dicho esto para que tengan mi alegría y así su alegría sea completa".[11]

La felicidad que se busca por motivos egoístas, fuera de la senda del deber, es desequilibrada, caprichosa y transitoria; pasa, y deja el alma llena de soledad y tristeza. Sin embargo, en el servicio a Dios hay gozo y satisfacción. Dios no abandona al cristiano en caminos inciertos; no lo deja librado a pesares vanos y a desilusiones. Aunque no estemos disfrutando de los placeres de esta vida, podemos gozarnos aguardando la vida venidera.

Pero ya aquí los cristianos podemos disfrutar

de la comunión con Cristo; podemos tener la luz de su amor, el perpetuo consuelo de su presencia. Cada paso de la vida puede acercarnos más al Señor Jesús, puede darnos una experiencia más profunda de su amor y aproximarnos tanto más al bendito hogar de paz. No perdamos, pues, nuestra confianza; sino tengamos una seguridad más firme que nunca antes. "El Señor no ha dejado de ayudarnos"[12] y nos ayudará hasta el fin. Miremos los hitos conmemorativos de lo que Dios ha hecho para confortarnos y salvarnos de la mano del destructor. Tengamos siempre presentes todas las tiernas misericordias que Dios nos ha mostrado, las lágrimas que ha enjugado, las penas que ha quitado, las ansiedades que ha alejado, los temores que ha disipado, las necesidades que ha suplido, las bendiciones que ha derramado. Fortalezcámonos para todo lo que nos aguarda en el resto de nuestra peregrinación.

No podemos sino prever nuevas perplejidades en el conflicto venidero, pero podemos mirar hacia el pasado tanto como hacia el futuro, y decir: "El Señor no ha dejado de ayudarnos". "¡Que dure tu fuerza tanto como tus días!"[13] La prueba no excederá a la fuerza que se nos dé para soportarla. Sigamos, por lo tanto, con nuestra labor dondequiera que se nos presente, sabiendo que para cualquier cosa que ocurra, él nos dará fuerza proporcional a la prueba.

Y antes de mucho las puertas del cielo se abrirán para dar paso a los hijos de Dios. Y los labios del Rey de gloria pronunciarán la invitación que resonará en sus oídos, como la música más dulce: "Vengan ustedes, a quienes mi Padre ha bendecido; reciban su herencia, el reino preparado para ustedes desde la creación del mundo".[14]

Entonces los redimidos recibirán la bienvenida al hogar que el Señor Jesús les está preparando. Allí sus compañeros no serán los viles de la tierra, ni los mentirosos, idólatras, impuros e incrédulos, sino los que hayan vencido a Satanás y por la gracia divina hayan adquirido un carácter perfecto. Toda tendencia pecaminosa, toda imperfección que los aflige aquí, habrá sido quitada por la sangre de Cristo, y se les comunicará la excelencia y la brillantez de su gloria, que excede con mucho a la del sol. Y la belleza moral, la perfección del carácter de Cristo, que ellos reflejan, superará incluso este esplendor exterior. Se hallan sin mancha delante del gran trono blanco, y comparten la dignidad y los privilegios de los ángeles.

En vista de la herencia gloriosa que puede ser suya, ¿qué puede dar el ser humano "a cambio de la vida?"[15] Puede ser pobre y, sin embargo, posee en sí mismo una riqueza y una dignidad que el mundo jamás podría otorgarle. El alma redimida y purificada del pecado, con todas sus nobles facultades dedicadas al servicio de Dios, es de un valor incomparable. Hay gozo en el cielo delante de Dios y de los santos ángeles por cada alma rescatada, un gozo que se expresa con cánticos de santo triunfo.

Referencias

1. S. Juan 17:18, 23
2. 2 Corintios 3:3, 2
3. Romanos 8:32
4. Romanos 14:7
5. Salmo 37:3
6. S. Juan 17:15; 16:33
7. S. Mateo 6:26
8. S. Mateo 6:28
9. S. Mateo 6:30
10. S. Juan 14:27
11. S. Juan 15:11
12. 1 Samuel 7:12
13. Deuteronomio 33:25
14. S. Mateo 25:34
15. S. Mateo 16:26.